Portraits et destins

運命が変えた世界史 上

アレクサンドロス大王からナポレオンまで

フランク・フェラン
Franck Ferrand
神田順子／田辺希久子／
Junko Kanda　Kikuko Tanabe
濱田英作　訳
Eisaku Hamada

原書房

運命が変えた世界史・上　アレクサンドロス大王からナポレオンまで◆目次

運命が変えた世界史◆下・目次

序文

わたしは四年間、数十か所の劇場、多目的ホール、レストランシアターで「Histoire(S)《イストワール》」と題したワンマンショーを行なった。このショーの原則はシンプルで、効率的であった。毎回、一五の歴史上の大きな謎から三つを観客にくじびきで選んでもらい、わたしが積極果敢に——多少とも即興的に——謎解きをつとめる、というものだ。アレクサンドロス大王の死、エミール・ゾラの死、マルコ・ポーロの秘密、最後のロシア皇帝一家の最期といった、解明されていない部分が残っている歴史上のできごとに、わたしはポワロやメグレ、コロンボの顰《ひそみ》にならって迫ってみた。ひとことでいえば、捜査したのだ。

古典ギリシア語において、「捜査」は「ヒストリアイ［ἱστορίαι］」と言う。筆者お気に入りの雑誌のタイトルが「イストリア［Historia］」であるのは偶然ではない。分厚《ぶあつ》いバイイ希仏辞典を開き、ヒストリアイの項目を調べてみよう。第一の定義として表示されているのは「調査、情報、探求」である。すなわち捜査なのだ！　もう少し先を指でたどり、ἵστωρ［ヒストール］の説明を読むと、「知っている者、法律を知っている者、裁判官、歴史家」と書かれている。こうして語源までさかのぼると、歴史家と探偵のつながりが明確になる。わたしのように、歴史を「捜査すべき事件の宝庫」と直感的に考える者たちはだれしも、このことを知って意を強くする。ときには過去を何世紀もさかのぼって探偵のまねごとに興じる。これが、どれほど楽しいかを言葉で説明するのはむずかしい。ファクトを収集し、証言を比べ、行動を解釈する。可能であれば定説とは異なる答えを出すために。これまでの共通認識が見落としていた解を浮かび上がらすために。これといった謎がなくとも、見たところ明々白々で疑惑の影もないテーマが対象であっても、歴史探偵としてふるまうのは楽しいし実《みの》りも多い。

本書は、二年前からわたしがイストリア誌に連載している「白紙委任状」から選んだエピソードで構成されている。謎という名にふさわしい謎――その筆頭は、タンプル塔に幽閉されたルイ一七世にまつわる有名な謎――もあれば、サラミスの海戦、やがてルイ一六世となる王太子の結婚、ブリュメール一八日のクーデター（実際にクーデターが起こったのは一九日であるが)、アポロ一一号の宇宙探査といった、グレーゾーンは少ないエピソードも登場する。だが、もう一度言うが、アプリオリには謎などない話であっても、ヒストリアイの精神であらためてふりかえってみることは有意義な結果を生んだと自負している。わたしはメソッドを大切にする歴史探偵として、現時点で入手できるかぎりの史実の欠片《かけら》やくだけ散った人生の小片をかきあつめ、一貫性があって納得できる図柄ができるようにジグソーパズルさながらにならべ、何が起こったのかを検証するようつとめた。

ワンマンショーの舞台に立ったときのわたしは毎回、あいさつがわりに、大理石にきざまれた不動の歴史というものはない、たえず調査を再開することで真実に一歩一歩近づくことができるのだ、と述べるのがつねであった。歴史研究が相手にしているのは、無生命の硬直化した素材ではない。理解をたえず深めるために、永遠に見なおしがくりかえされる捜査――バイイ希仏辞典の定義によると調査、探索――なのだ。ついにたどりついたと思われる真実とて決定的ではないからだ。以上がまさに、わたしが偉大な先達《せんだつ》としてあおぐアンドレ・カストゥロやアラン・ドゥコーを筆頭とする、イストリア誌の歴代の寄稿者たちが追求してきた目標である。同誌に連載した拙文が一冊の本にまとめられ、上記先達の本を数多く手がけたすばらしい出版社ペランから刊行されることは、わたしにとってこのうえもない名誉である。

フランク・フェラン

パリ、二〇二〇年一一月

1

サラミスの海戦

それはおそらく、紀元前四八〇年の九月のことだった。アテネからほど遠からぬところで、サラミスの海戦がくりひろげられたのだ――東洋と西洋の決戦であった。かたやクセルクセス一世とそのアケメネス朝ペルシア帝国の大軍勢、こなたテミストクレス将軍と、隆盛期に達していたギリシア世界の連合軍。戦力差のある対決ではあったが、計略と犠牲精神が、物量と規律に打ち勝った。

前五世紀の初め、すべての趨勢は、この半世紀というもの覇権主義的な拡大のただなかにあったペルシア帝国と、地中海世界において先例のない新たな文明モデルとしての栄光を追い求めていたギリシア世界――スパルタ、アテネ、コリントなどを筆頭とする都市国家《ポリス》で構成されていた――とのあいだの衝突を不可避としているようだった。すべては、サラミスの戦の一五年ほど前からはじまった。そのとき、今述べたような諸ポリスは、アケメネス朝ペルシア帝国の中央政権――当時まだダレイオス一世の治下にあった――に対して反乱を起こした、遠い親戚ともいうべきイオニアのギリシア諸都市を支援したのである。帝国内で起こった紛争［エジプト、バビロニアなどのあいつぐ反乱］に手をとられたことにより、ペルシアが反応するためには、数年を要した。そうしてはじまった前四九〇年の第一次ペルシア戦争では、ダレイオスの陸海の大軍がキュクラデス諸島を奪い、エレトリア市を破壊したが、その後まったく意外にも、マラトンでアテネ軍に敗れた。第一回戦は、ギリシアの勝利に終わった。

　第二回戦は、より困難なものになると予想された。ダレイオスの息子で後を継いだクセルクセス一世が王位についてまず対処すべきは、父王が鎮圧せんとしていた、憂慮すべきエジプトの反乱であった。そのエジプトは、前五二二年以来、ペルシアの支配下にあった。蜂起を打ち破ったクセルクセスは、その巨大軍団を西のギリシアへと向ける準備を整えた。彼は、軍勢がヘレスポント（現在のダーダネルス海峡）を越すために、木製の二つの浮橋［船をならべてつないだ］を建設し、四八〇年に、大々的な攻撃をかけた。面白い逸話が大好きなヘロドトスは、こう物語る。ペルシア人たちがあまりに多かったため、彼らがエケドロス川の岸辺にたどり着いたとき、この金のとれる大河の水を飲みつくして干上がらせてしまったと！

キケロによって「歴史の父」と称されたヘロドトスは、ペルシア戦争について研究する人にとっての主たる情報源である——それもそのはずだ。すなわち、彼の著作『調査』（ギリシア語で『ヒストリア』）〔邦訳では『歴史』〕はサラミス海戦の半世紀後に書かれ、ペルシア人とギリシア人のそもそもの対立の起源にさかのぼり、推移を伝えることを目的としていたからである。彼の語りは前四七九年のセストス攻囲をもって終わるが、彼の後継者のトゥキュディデスはペロポネソス戦争についての記述を、まさにその年からはじめているのだ。だが、後者が説明的考察をもって出来事を回想しているのに対し、ヘロドトスはあたうかぎりもっとも中立でもっとも網羅的に述べようとしている——プルタルコスが、アケメネス朝ペルシアに対して甘すぎる、とヘロドトスを非難している理由もそこにある。

これほどの敵に直面して、ギリシア諸都市が、どのように対抗できようか？　ギリシア救済の鍵は、すでに二年間にわたって海軍建設のためにアテネがはらった莫大な努力であった。ここで、第二次ペルシア戦争の立役者の一人となる人物が登場する――クセルクセス大王の好敵手ともいえる、アテネ人のテミストクレス司令官《ストラテゴス》である――ストラテゴスは、ギリシアでは軍事戦略家ではなく、将軍を意味していた。テミストクレスは、四五歳そこそこであった。彼は庶民階級の出で、二、三年来、民主派の大衆党を率いていた――なんという面倒な仕事！　ペルシアからの危機にたいへんよく通じていた彼は、銀鉱山からの収入を、三段橈船の軍艦の大量建設に充当させるよう、アテネの民会を説得することに成功した。彼は外交分野でも活発に行動し、ギリシア諸都市を一種の連合体として結集させることに尽力した。すなわち、デロス同盟である。

ギリシア諸都市が前回と比べて結束を固め、戦備不足が改善されていたのは、とくにテミストクレスのお蔭といってよい。さて同盟の最初のもくろみが不発に終わったのち、きわめて巧妙な戦略を提案したのは、またもやこのアテネの司令官であった。すなわち、新設艦隊をもってアルテミシオン海峡を封鎖し、クセルクセスの軍勢が陸路、すなわちテルモピュライの隘路を通らざるをえないようにもっていく。あの隘路なら、こちらが彼らに打撃をあたえることも不可能ではない、とふんだのだ。わたしたちは、この両面作戦の戦果がどっちつかずであったことを知っている。テルモピュライでは、スパルタが英雄的な自己犠牲精神を発揮し、レオニダス王の精鋭部隊がペルシア軍の前進を遅らせ、貴重な三日間をかせいだ。とはいえ、ペルシア軍はボイオティアでプラタイアやテスピアイなどの町をふみにじり、その後にアテネを圧しつぶした…。こんな逸話が残っている。デルポイ神殿のピュティア［巫女］が、アテネ人たちに正式の神託をくだし、このように助言した。「木の壁の背後にのがれよ」と。大部分の人々が一目散に逃げ出した一方で、市民たちのなかには、アクロポリスの城壁——当時は木柵だった——に避難すべきと考える者もいた。テミストクレスは、「木の城壁」が軍艦の喩《たと》えであると解釈するほうを選んだ…

待ったなしで、ギリシア軍の三段櫂船は、アテネからの大量の避難民救出援護のために、サロニケ湾に櫂をこぎ再結集しなければならなかった。二つの見解が対立した。一つはコリントスの海軍指揮官であるアデイマントスによる防衛的立場で、彼はギリシア軍艦をイストモス［現在のコリントス地峡］に沿って集め、ペルシアの進軍、なかんずくコリントスへの進入を防ぐというものだった。それに対して、より攻勢に出よというのはテミストクレス案で、アッティカ海岸とサラミス島のあいだの海峡にペルシア海軍を引きつけて罠《わな》にかけようというものだった——つまりは、テルモピュライの海上版である…。全ギリシア会議はこの案を採用し、連合海軍の指揮をあるスパルタ人指揮官にゆだねたが、スパルタ人はもちろん陸の王者であり、実際の命令は、すべてテミストクレスより発せられた。

堂々たる三部作である『戦争の世界』の第一巻で、オマール・コロリュ、ギヨーム・ガルネおよびマクシム・プティジャンは、詳細に記述している。「ギリシア海軍は、一八〇隻のアテネ艦隊からなっていたが、それにくわえて、五〇隻のペロポネソス艦隊、四〇隻のコリント艦隊、三〇隻のアイギナ艦隊、二〇隻のメガラ艦隊、そして二〇を超すさまざまな都市からの艦隊も集まり、テミストクレスただ一人の指揮下に、サラミス島の沖合に停泊していた。クセルクセスはおそらく、ペロポネソス征服に着手する前に、この艦隊を徹底的にたたいてやろうと決意していた。たしかに「机上では」、ペルシア軍は数において圧倒的優位を誇っていた。ヘロドトスによれば、一二〇七隻――『イーリアス』のギリシア軍船と同数――であった。現代の史家によれば、六、七〇〇隻がせいぜいとのことだ。どちらにしても、ペルシア艦隊の規模がはるかにまさっていたことに変わりはない！

天才的なこのテミストクレスの計画は、ペルシアの大艦隊を制御不能にしようとするものであった。つまりまず、敵方に、ギリシア軍が海峡の北側にのがれようとしていると思わせる。早暁の微光のもと、彼はサラミス島と大陸とのあいだの水路に、ペルシア軍を引きよせた。北東寄りに大陸沿岸をさかのぼっていたペルシア海軍は、逃げようとするギリシアの船をとらえ撃滅するつもりだったのだろう。だが現実には、ギリシア軍は南西から島の海岸沿いに奇襲をかけてペルシア艦隊を分散させることに成功し、戦列を長く引き伸ばし、不意をついては衝角［当時の軍船の船首喫水下につき出ている角］でつき破り、大損害をあたえたのだった。クセルクセスは豪華な玉座をアイガレオ山の斜面に置かせて、見物していた。彼にとって眼下の海は自然の造りなした闘技場であり、そこで争われる模擬海戦を鑑賞する気分だった。だが彼は、自身の艦隊の敗北を、特等席から見物することとなった。そもそも、ペルシアの軍船は軽量すぎて、海峡の風のただなかでの操船はむずかしかった。ギリシアの軍船の戦備は過剰なほどであり、おそらくあまり乾燥していない木で建造されており、それゆえにより重量があり、したがって安定していた。

波が高かったゆえに、闘いの真っただなかで混乱は増大した。これは、この海域をよく知っているギリシア海軍を利し、自分たちの海岸を守ることができた。しかもギリシア重装歩兵は、ペルシア軍の弓兵ほどにはバランスをくずさなかった…。ペルシア側の敗北を象徴する出来事が起こった。乱戦のなかでアリアビグネス提督が戦死し、同時に、軍艦のおそらく半数近くが、海の藻屑となった…。とはいえペルシアは、激戦にそなえたその無数の歩兵隊ゆえに、まちがいなく陸では、まだ主導権をにぎっていた。翌年、クセルクセスは東方へ帰還したが、その軍事上の右腕であったマルドニオスはアテネを攻め落とし、破壊した――だがアテネはほどなくして再建され、その遺跡は現代のわたしたちを驚嘆させている…。雪辱をとげたとはいえ、アケメネス朝ペルシア帝国にとって、サラミスは惨敗の代名詞であることに変わりはない。『戦争の世界』には次のような記述がある。「わたしたちは、ペルシア軍がどのように撤退したのかについて、多くは知らない。テミストクレスはスパルタにおもむき、称賛され、褒章をあたえられた。スパルタがなおギリシア世界で覇権をにぎりつづけていたためといえよう。と同時に、アテネに帰還しても冷遇されたテミストクレスが、スパルタの支援を求めた、ともいえよう。ギリシア中央部は、あいかわらずペルシアの脅威にさらされていたからだ」

とはいえ、このサラミス海戦でのギリシアの勝利は赫々《かっかく》たるものだったので、わたしたちは、これをもって古典時代のはじまりとなしている。また、サラミス海戦なかりせば、これほどまでに強力なギリシア――さらにはこれほどまでの文明の揺籃――の興隆は生じなかっただろうとまで極言する人もいる。その考えも、もっともかもしれない…。のちに、アテネの悲劇詩人で、自身サラミスの戦士でもあったアイスキュロスは、その作品『ペルシア人』のなかで、奴隷制度と残忍性を特徴とする大帝国ペルシアの沈滞と逸楽について述べ、この退廃の世界に、ギリシアの美徳と自由で進取の気風に富んだ人々を対照させている。「暴力のくびきから解き放たれるや否や、民族は自由に動き、話すのだ」と。

「メディア戦争」（第一次は前四九〇年、第二次は前四八〇―四七九年）とは、古代ギリシアの歴史家があたえた名前で、それはペルシア王朝が多数のギリシア都市と対決した、二つの時期にわたる戦いであった。この名称は不適切である。というのも、ペルシア帝国の創設者であるキュロス大王（在位前五五九―五三〇）は、もうずっと前に、現在のイランの領域にあったメディア国の政権を滅ぼしていたからだ。だがギリシア人は、それにもかかわらずに慣習を変えず、一部の人々はあいかわらずペルシア人をさすときに「メディア人」の名を使いつづけた。ゆえに、多数のギリシア史家が前四九〇年をもってアルカイック期と古典期の時代的転換点とするほど重要であった、このギリシア諸都市とペルシア帝国の戦争に「メディア」という形容詞がついているのである。

2

軍神アレクサンドロス大王

三三年に満たない短い生涯のあいだに、マケドニアのアレクサンドロスは唯一無二の大征服者となった。グラニコス川、イッソス、ガウガメラでの勝利は、古代最大の冒険物語のほんのはじまりにすぎなかった。

アレクサンドロスは親しい友らとともに、トロイアへのいわば巡礼の旅を終えたばかり。マルマラ海にほど近いグラニコス川のほとりで、軍師パルメニオンが野営を進言したにもかかわらず、ホメロスの叙事詩「イーリアス」の舞台、トロイアを訪れた興奮も冷めやらず、自分をアキレウスに重ねあわせたアレクサンドロスは、戦いにはやってわずかな騎兵をともない、先頭切って渡河をはじめた。対岸にいたるや、ペルシア王の将軍たちを挑発し、とりわけ混戦にまぎれて敵将スピトリダテスを孤立させ、一騎打ちを挑んだ。スピトリダテスは戦斧《せんぷ》でアレクサンドロスの白い兜飾りをたたき落とし、若きマケドニア王にとどめを刺そうとした。側近クレイトスが槍を投げてスピトリダテスを倒し、間一髪でアレクサンドロスの命を救う。これ見てマケドニア軍の多くは怒り狂い、猛然と敵に襲いかかった。

これがアレクサンドロスのペルシアにおける最初の戦いであり、歴史上の大征服者のなかでもっとも名高く、もっとも波乱に満ちた生涯を送った王の最初の勝利だった。カエサルもアッティラも、カール大帝、チンギス・ハン、ナポレオンも、みずからをアレクサンドロスになぞらえた。そこにはやっかみもあったかもしれない…。アレクサンドロスにはほかの征服者にないものがあった。二五歳にして、神々しいとよべるほどの雰囲気をまとった戦士だった。精神的にはカリスマ、肉体的には美をそなえていた。栗色の髪は赤銅の光を放ち、完璧な顔立ちに大きな青い瞳が輝き、運動選手のような均整のとれた体型だった。アレクサンドロスが姿をみせるだけで兵士たちは熱狂し、いいところを見せようとふるいたった。

抜きんでた資質を育んだのは三人の人物。父マケドニア王フィリッポス二世、母オリュンピアス、そして家庭教師アリストテレスである。アレクサンドロスは五、六歳から早くも父王に反発しはじめる。だが父フィリッポスは名君で、まぎれもないマケドニア王国の祖だ。一流の戦略家、外交官、行政官でもあった。一〇代のアレクサンドロスは父への劣等感からこう言ったとされる。「父の征服がこのまま続けば、息子の自分がやることは何もなくなる」と。批判はそれにとどまらず、だれにでも愛想をふりまく父の性格にも向けられた。フィリッポスは美女と美食、酒宴に目がなかった。恥知らずな放蕩を息子は嫌悪し、反抗心からそれらすべてをみずからに禁じた。宵っ張りで宴会好きの父に対し、息子は禁欲的。父が饒舌であるのに対して、息子は言葉少な。思慮深く計画的な父に対し、息子は衝動的で大胆不敵。つまるところ、この偉大な勇者を生み出したのは父への反発だった。父はお手本でなく、反面教師だったのだ。

一方、あふれるばかりのエネルギーはおそるべき母、オリュンピアスゆずり。彼女はエピロス王の娘で、ぬけ目ない叔父のお膳立てで野心的なマケドニア王に嫁いだ。恋愛結婚ではなく、夫への憎しみが息子に受け継がれたともいえる…。彼女は超自然的要素が日常に浸透している後進国の出身であり、オルフェウスとディオニュソス信仰の大神官としてその秘儀に精通し、どこへ行くにも護符や聖蛇をもち歩き、魔術師や占星術師をひきつれていた。その魔術的世界に息子は魅了され、前四世紀当時は時代遅れではなかった秘教に強い嗜好をいだくようになった。なによりオリュンピアスは、息子に太陽のような愛をそそぐことで、何事にも左右されない強い自信をあたえた。ことあるごとに偉大なるアキレウスの末裔であることを言い聞かせたから、息子は幼児から思春期にかけて神話に夢中になる。アレクサンドロスは幼い頃から空想の世界を作り上げ、トロイア戦争の英雄として大冒険にのりだす自分を想像した。のちに自分を神に祭り上げるのも、エジプトやペルシアの影響と見る向きもあるが、きっかけはもっと身近にあったのかもしれない…

父への反感を吹きこまれ、母の強い影響のもとに形成されたアレクサンドロスの性格は、偉大なアリストテレスの教えを受けることで磨かれ、洗練されていく。マケドニア出身の哲学者アリストテレスは、オリュンピアスの秘教崇拝とはむろん距離を置いていたが、それだけでは満足しなかった。息子として、あるいは将来の君主として自分を規定するのではなく、一人の人間として自分で判断を下し、自分らしく生きることを若い王子に教えたのだ。その教えは、期待をはるかに超えてアレクサンドロスのなかに生きつづけたといってよい。

一八歳のとき、アレクサンドロスの周辺でさまざまな事件が起きる。母オリュンピアスが告発され、息子のライバルになりうる異母兄アリドエウスに薬をあたえて毒殺し、王位につくのをはばもうとしたと疑われたのだ。妻の逸脱ぶりにうんざりしていたフィリッポス王は、これ幸いと妻を追放し、若くて美しいクレオパトラ

（何世紀も後のクレオパトラとは別人）と結婚する。その結婚式での父と子のいさかいは、起こるべくして起きた衝突だった。列席していた新婦の親族アッタロスが、フィリッポスの「これから生まれるであろう正統な後継ぎたち」のために祝杯をあげたところ、アレクサンドロスが真っ赤になって不埒な男にワインを投げつけたのだ。フィリッポスは激怒し、息子をたしなめようと立ち上がったが、酔っぱらっていたせいでつまずき、あきれ顔の客人たちの目の前で転倒してしまう。アレクサンドロスは逆上したまま、その場から立ち去った。

直後にフィリッポスが死ななければ、事件はアレクサンドロスに不利に働いていただろう。オリュンピアスは舞台から降りるどころか、息子の利益に目を配り、陰謀をくわだてた。そしてフィリッポスは暗殺されてしまうのだ。アレクサンドロスも共犯だったのだろうか。彼がのちに父の敵討ちを果たしたことは否定できないとはいえ…。ホメロスの詩とアリストテレスの教えのもとに成長した二〇歳のアレクサンドロスは、ついに王の座につく。強大なアケメネス朝ペルシアをはじめ、広大な地域を征服する決意だった。

アレクサンドロスは当初、父王に仕えていたパルメニオン（のちにグラニコス川の戦いで活躍）、ペルディッカス、アンティパトロスらの軍人を補佐役に選んだ。フィリッポスが残した兵力はそっくりそのまま継承され、新王はかつてない強力な軍隊を手に入れた。その先鋒をつとめる有名なファランクス（密集陣形）は、訓練された重装備の農民兵からなり、四メートルを超える長槍を用いた。この陣形で敵の動きを制したうえで、歩兵が攻撃を仕かけ、騎兵がとどめの一撃をくわえる。騎兵にかんしては、フィリッポスの時代に「王の仲間」とよばれる無敵の精鋭部隊が編成されていた。部隊は友愛以上の絆で結ばれ、アレクサンドロス自身もその一員として初陣を飾っていた。

強力な軍事力をアレクサンドロスはまず西のバルカン国境で用い、めざましい戦果をあげた。そこからドナウ川を越えたが、当時謎につつまれていたケルト世界には足をふみいれなかった。電光石火のスピードで南へ転じると、反乱を起こした誇り高き都市テーバイの鎮圧にとりかかった。ギリシア全土に力を見せつけなければならない。アレクサンドロスは哀れなテーバイに襲いかかり、六〇〇〇人を虐殺、残りは奴隷とされ、大詩人ピンダロスの家を除いて街は灰塵と帰した。

若き王はテーバイでの戦利品を側近に分けあたえると、ふたたびペルシア帝国に向けて進軍を開始した。アレクサンドロスの征服のはじまりだ。マケドニア軍が巨大なペルシア帝国の辺境に侵入した程度では、ペルシア王ダレイオスは気にもとめない。サトラップ（地方総督）に対応をゆだねれば十分だと思っていたのだが、敵の進軍はあまりに速かった。トロイアで先祖アキレウスの墓に詣でたアレクサンドロスは、グラニコス川で三万のペルシア軍に襲いかかった。戦いの結末は周知のとおりだ。

紀元前三三三年の残りの日々、マケドニア軍はペルシア帝国西部に大損害をもたらした。さすがのペルシア王もがまんできなくなり、出陣にふみきった。その気になれば一〇〇万の軍勢も投入できたが、動きが鈍くなるのをおそれ、傭兵を主力とする一〇万にしぼりこんで西へと進んだ。ペルシア軍は地中海に到達し、南にキプロス島を望むイッソスとよばれる場所へ歩を進めた。アレクサンドロスは入浴中に風邪をひいて療養中だったが、深夜にはじまった戦いは人生最大の戦いの一つとなる。日が昇る頃にはペルシアの敗北が決定的となり、ダレイオスは逃亡した。勇敢で傲慢な戦争初心者の若者が、ひとにぎりの精鋭によって、世界一の大国の巨大軍団を粉砕したのだ。そんなことがあれば、自分を神と思っても仕方がない。ダレイオスの陣営を占拠し、刺繍や黄金がちりばめられた敗軍の将の天幕に足をふみいれ、「王になるとは、こういうことか」とつぶやく。ダレイオスの黄金の器で豪華な晩餐を楽しんでいると、王族の女性たちがつれてこられる。豪華な宝飾品を身につけた美女ぞろいだ。当時の征服者の例に反して、アレクサンドロスは女性を虐待することなく、慈悲と寛容の心をもって扱った。

新しいバシレウス［ギリシア語で「王」の意］は、財宝のうなるペルシアの王都ダマスカスへと向かい、次いでティルスの包囲にとりかかるが、包囲戦は七か月にわたる苦しい戦いとなった。その後はエジプトへ向かい、オリュンピアスの子らしく、そこでふたたび秘教に接することとなる。だがレヴァント（地中海西部）の富も、ナイルの絢爛たる儀式も、若き征服者の冒険心を満足させることはなかった。やがてオリエント（中東）の誘惑が、彼の大胆さと自立心を弱めてしまうことになるのだろうか。あれほど潔癖に父の玉座に座って無為な時間をすごすことを拒んだアレクサンドロスが、いまやその自立心を骨ぬきにする魔の玉座に、ぐったりと身をゆだねようとしていた。

スポーツマンの先駆け

アレクサンドロスはアリストテレスの教えに従い、身体の敏捷性と精神の敏捷性を同列においていた。剣術に長けていたのはもちろん、競走や重量挙げをはじめ、あらゆる競技をこなす万能選手だった。乗馬は幼い頃から練習をかさね、一三歳で獰猛な軍馬ブケファロスを手なずけたことから、その手練れぶりがうかがわれる。このように体を動かすことを得意とした一方で、抒情詩や音楽など、体を使わない活動にも親しみ、とくに竪琴にすぐれていたといわれる。

おそるべき大軍勢を率いるダレイオスと対峙し、現実にひきもどされる場面もあった。対決の舞台は古代都市ニネヴェに近いガウガメラ。今回も夜襲を勧めるパルメニオンに対し、アレクサンドロスは「姑息な手段で勝ちたくない」と返す。安らかに眠った翌朝早く、一世一代の戦いがはじまった。神格化され、オリエントの支配者の威光までも身につけた若き王の指揮のもと、兵士たちの戦意はかつてなく高まった。のちに伝説と化すこの戦いのさまざまな逸話のなかでも、ダレイオス率いるペルシア軍が何千もの戦車で丘を駆けおりるくだりはとくに有名だ。大地をゆるがし、砂煙を巻き上げて突進する軍勢に、アレクサンドロスのファランクス軍団は道をあけ、戦車を自陣に誘いこんだうえで、戦車の御者を襲ったり、馬を倒したりする戦術をとった。戦いはおそるべき大混戦となった。落馬したペルシア兵は身を挺して人間の盾になろうと、マケドニア軍の馬の脚にしがみついた。この戦いでの敗北をきっかけに、ペルシアのアケメネス朝は滅亡へと向かった。以後、アレクサンドロス大王にほんとうの意味で対抗できる勢力はいなくなった。

アレクサンドロスは自国とペルシアだけでなく、既知の世界全体を掌握する万能の支配者となった。だが征服者には案外もろいところがあるものだ。戦いを成功に導いた長所が、平時には弱点となることもある。中東風の服を身にまとい、自分を神として崇拝させ、酒におぼれ、酩酊して癇癪を爆発させることも増えた。予測不能な気分の浮き沈みに、とりまきはびくびくするようになる。やがて王は、ペルセポリスの宮殿に火を放つことになる。

さらには友であるクレイトス（グラニコス川の戦いで命を救ってくれた恩人）を、みずからの手で殺してしまう。被害妄想におちいったアレクサンドロスは側近に牙をむくようになる。軍師パルメニオンも狂気の発作のとばっちりを受けた。その息子、若きフィロタスがアレクサンドロスに残酷な仕打ちを受け、冤罪を問われて殺害されたのである。

最後の輝きはインド征服だった。一年足らずのうちに、アレクサンドロス率いる軍勢は無傷のまま、西欧のどんな軍隊も行き着いたことのない東の彼方に到達した。紀元前三二七年の晩春、アレクサンドロスはインダス川に向けて進軍を開始した。ヒンドゥークシュの山々を越え、カーフィリスタンのせまい渓谷をぬける。七〇〇〇メートルを超える山脈を一〇か月足らずで踏破し、インダス川の上流に到達すると、忠実な友ヘフェソスが先発隊として待ち受けていた。そしてパンジャブの藩王ポロスが率いる二〇〇頭の戦象部隊と対決することになる。

　インダス川は征服された。だが地元の若い王子チャンドラグプタは、遠征を続け、インド本土に入るよう進言する。そうすれば、インドは喜んで降伏するだろうと請けあった。荒地を進むたった一二日間の行軍…だが疲れはてた兵士たちに一二日は長すぎ、もはや前進する気力もない。高山を行く危険な道、尾根では長時間太陽にさらされ、矢の雨にさらされる。これらすべてが彼らを疲弊させた。この事態に腹をたてたアレクサンドロスは、アキレウスのように自分の天幕に引きこもり、三日も出てこない。それでも才能と胆力にめぐまれたアレクサンドロスだけあって、兵士の心理状態を悟り、新たな領土へのあくなき渇望をあきらめ、勝軍の兵の誇りを尊重する道を選んだ。征服者アレクサンドロスは我をとおさなかった。アリストテレスの弟子は撤退を受け入れたのだ。

紀元前三二六年秋、オリュンポスの主だった神々に一二基の大祭壇を建立したうえで、アレクサンドロスは帰国の途についた。それからバビロンで亡くなるまでわずか三年たらず。それは決して最良の日々ではなかった。偉大な勇者は、人生の下り坂を生きるようにはつくられていないのである。

3

檄文事件

——フランソワ一世、宗教改革に「ノン」を言う

一〇年以上にわたり、ルター派の宗教改革思想に対するフランス王権の反応はあいまいなままだった。国王フランソワ一世は姉マルグリットの影響もあり、たびたび宗教改革に理解を示し、宥和にもつとめていた。だがそれも、一五三四年一〇月一七日から一八日にかけての運命の夜、「檄文事件」とよばれる歴史的事件が起きることによって終止符を打つ。

一五三四年一〇月一八日未明、アンボワーズ城の階段と控えの間が騒然となった。国王の起床準備をしていた従僕や護衛、廷臣たちが、衝撃的な内容の檄文（プラカード）をあちこちで発見したのだ。檄文はフランソワ一世の私室や戸棚にまで貼られていた。それはきわめて辛辣な反カトリック宣言であり、「教皇ミサの、聖体に対するおそるべき、重大な、耐えがたい弊害」を過激な言葉で糾弾していた。まもなくアンボワーズ以外にブロワ、オルレアン、パリなどでも、同じ檄文が貼り出されたことが判明した。この挑発行為は、激しい感情的反応をひき起こした。

その頃、宮廷では二つの派閥が、とくに宗教問題をめぐって対立していた。一方を率いるのは熱心なカトリック教徒で、ハプスブルク帝国との宥和を支持するモンモランシー公。もう一方を率いるのは宗教改革の思想に理解を示し、それゆえ反ハプスブルクのシャボ・ド・ブリオン提督と王の寵姫［アンヌ・ド・ピセルー］だった。また後者は王姉マルグリット・ド・ナヴァールの強力な支持もえていた。マルグリットはルター主義に完全に帰依していたわけではないが、以前から福音主義的キリスト教思想を信奉していた。当然、一五三四年一〇月の檄文事件に対する両派の対応は異なった。シャボ・ド・ブリオンは怖気づいて事件を過小評価しようとし、モンモランシーはここぞとばかりに過剰に憤慨してみせた。

事件の反響は国境を越え、微妙なバランスの上に立つヨーロッパ外交をゆるがした。それまで何か月にもわたって、フランスを新旧両派の宗教的宥和へと向かわせるような出来事が続いていた。まず、ハプスブルク家のカール五世［神聖ローマ皇帝］との宿年の対立が再燃していた。さらに、フランスと友好関係にあった教皇クレメンス七世が死去し、ファルネーゼ家出身のパウロ三世が教皇の座についた。パウロ三世はハプスブルクに好意的だったが、前任者と同様、改革派をローマ教会の懐に平和的にひきもどそうと考えていた。くわえてハプスブルクとの緊張の高まりから、フランソワ一世はハプスブルクと対立するドイツのプロテスタント諸侯に近づこうとしていた。したがって教皇庁にとりいるためにも、宿敵ハプスブルクを弱体化させるためにも、ルター主義者に寛大な態度を示すのは当然のなりゆきだった。ようするに、王はその時点まで、カトリックとプロテスタントのあいだで綱わたりを演じることで満足としているとみられていた。

さらにフランソワ一世は以前から、宗教改革を支持する姉に理解を示し、大学やパリ高等法院が改革派を処罰することに反対してきた。王はギヨーム・デュ・ベレーを名代として、バーゼルのミコニウスやストラスブールのブーサー、さらにはヴィッテンベルクのメランクトンといった宗教改革の指導者たちのもとに派遣し、宥和を提案した。つまりフランスは教皇庁の暗黙の了解を得て、一五年前からキリスト教世界を引き裂いてきた新たな分派対立を収める方向に動いていたのである。当然、王の周辺の強硬派カトリック勢力は、自分たちから見れば異端と思える改革思想に、聖ルイの子孫たる国王が肩入れするのを見てショックを受けていた。そこへ一〇月一八日に起きたこの挑発的な事件によってすべてが白紙にもどり、このおそろしい状況を逆転させるチャンスが訪れたのである。

月末、宮廷には重い空気が流れた。国王は檄文事件によっていちじるしく権威を傷つけられたものの、大局的観点に立ち、印刷業者を見せしめとして処罰する一方で、全体的には寛大な態度をとることもできたはずだ。それがバランス感覚と先見の明をそなえた君主の対応というものだろう。だがフランソワ一世にはその両方が欠けていた。権力に慣れきって、「不敬」と思われるものに神経をとがらせる王は憤慨し激怒した。事件を自分に対する真っ向からの侮辱と受けとめ、何か月もかけて築いてきたものを、怒りにまかせてみずからの手でひっくり返してしまった。寛容と宥和の政策は突然終わりを告げ、フランスの宗教改革派は以後、厳しい取り締まりを受けることになった。

シャボ・ド・ブリオンの一派は言動をひかえた。宗教改革の支持者たちは早々に、できるかぎり遠くへと逃げた。数週間のうちに、激しい弾圧が熱心な改革派に向けてくわえられたからだ。一五三五年一月一三日には印刷活動が暫定的に禁止され、一月二一日には王みずからが「黒いビロードの衣」をまとい、首都パリで厳粛な贖罪の行列を率い、異端におちいった臣民の過ちに神の許しを乞うた。王は松明を手に、こう宣言する。「かくのごとき過ちをわが王国から追放し、いっさいの言いわけに耳をかすまい。一方の腕がこの忌《い》むべきものに感染したら切り落とし、わが子がこれに感染したら、みずからその子の命を絶とう」と。

贖罪の行列の仰々しさに、同時代の人々は驚愕した。総督ジャン・ブーシェによれば、「枢機卿、司教、修道院長ら多数の高位聖職者、さらにパリの高位高官がこぞって参列し、整然と行進した。その後ろには聖餐を捧げもったパリ司教ジャン・デュ・ベレー、次いで無帽の王が蝋の松明を手にやってくる。続いて王妃、王族たち、二〇〇人の貴族、親衛隊、高等法院の面々、請願審査官、裁判官たちが進んだ」。異端者は大広場で杭にくくりつけられ、群衆は彼らが生きたまま炎につつまれる前に、その体を切りきざめと叫んだ。

この贖罪の生贄は、むろん昨日までの同盟国ドイツを激怒させた。ヴォルテールはのちに、「パリでドイツ人をふくむルター派を火あぶりにし、一方でドイツのルター派諸侯と同盟するという忌まわしい二枚舌」と述べてフランソワ一世を非難し、「弾圧について釈明し、殺された者のなかにドイツ人がいなかったと主張する羽目におちいった」と指摘した。だがもはや、怒りは完全に理性を上まわっていた。八日後、「ルター派などの異端を根絶排除する」王令が発布される。「分派指導者であろうと、彼らをかくまった者であろうと、前述の犯罪人を司法に通知ないし告発する」者には、罪人の財産の四分の一があたえられることも定められた。この魔女狩りは、七月のクーシーの王令によってようやく終止符を打つ。このように檄文事件はフランス王に当初の穏健政策を放棄させ、カトリック強硬派の陣営に決定的に肩入れさせることになり、半世紀を超える宗教的迫害と内戦の幕が切って落とされた。そこで、この「事件」によってだれが得をしたのかを冷静に考えてみよう。プロテスタントにとって、このような挑発行為を組織的に行なうことにどんな利益があったのだろうか。

たしかに事実関係をみると、辛辣な檄文を起草・印刷・配布したのはジュネーヴの教義学者ギヨーム・ファレルの弟子、ヌーシャテルの改革派司祭アントワーヌ・マルクールであることはまちがいないだろう。狂信的なこの人物が、たしかに檄文を書き、印刷させたのだ。

しかしこの事件をとりまく状況を知るにつけ、この単純な事実にとらわれて、激情に駆られたアントワーヌ・マルクールの背後に、穏当な言い方をすれば「高度な利害」とでもよべるものがひそかに働いていなかったのか、検討せずにおくのは軽率というものだろう。この点について、マルグリット・ド・ナヴァールの伝記を執筆しているジャン＝リュック・デジャンの言葉を引用しよう。「わたしは王の側近中、もっとも狂信的な人々が［マルクールを助けた］可能性があると考える一人だ。得をするのは改革派ではなく、彼ら以外にない。(…)［のちに］アンリ四世を殺害するのは［狂信的カトリック教徒の］ラヴァイヤックだが、だれが彼に武器をあたえたのか」。権力に近いカトリック教徒が、マルクール一派の挑発を支援したという証拠はないものの、わたしもこの方向性に賛成である。こうした挑発行為の扇動者を、それによって損失を受けた側でなく、それによって得をした側にさがすのは、実際、理にかなったことだと思う。当時よく言われていたことだが、Is fecit cui prodest（なされたること［犯罪］はなしたる者にとりて益あり）だからである。

檄文の内容

われらが主、唯一の仲保者にして救い主であるイエス・キリストの聖餐に真っ向から反して考案された、教皇のミサのおそるべき、重大な、耐えがたい弊害についての真正なる諸箇条

わたしは天と地を真理の証人として、この尊大で傲慢な教皇のミサに反対し、このミサにより世界は（もし神がまもなくこれを正されることがないとしたら）完全に破滅し、そこな

われ、失われ、荒廃することになると訴える。〔このミサにより〕われらが主がいちじるしく冒涜され、人々が誘惑され盲目とされるなか、もはや苦しんだり忍耐したりすべきではない。（…）すべての忠実なキリスト教徒にとって、神によって永遠に任じられた大祭司にして羊飼いたるイエス・キリストが、われらを聖別するためにその体、魂、命、血をもっとも完全なる犠牲として［ささげた］ことはいとも確かなことであり、確かなことでなければならない。この犠牲は目に見えるいかなる犠牲によっても再現できず、決して再現されてはならない（…）

この嘆かわしいミサによって、ほとんど全世界が公然たる偶像崇拝へと導かれた。そこではパンとぶどう酒という形態のうちにイエス・キリストの肉と血がふくまれ、今生きておられるかのごとく、偉大かつ完全な形で、身体的に、現実に、（…）個人的に、肉と骨として宿られているという、誤った教えが行なわれている。これは聖書、およびわれらが信仰がわれらに教えるものとは異なり、むしろ逆である。（…）これら盲目の司祭たちは狂信にとらわれ、このパンに息を吹きかけ、語りかけることで、彼らが指のあいだにとるパン、聖杯に入れたぶどう酒がもはやパンでもぶどう酒でもなく、聖変化によりパンとぶどう酒のうちにイエス・キリストが隠され、つつまれているのだと語り、また教えている（…）

このミサの果実が、イエス・キリストの聖餐の果実と正反対のものであることは〔驚く〕ことではない。なぜならキリストとベアル〔異教の神〕にはなんの共通点もないからだ。（…）この〔ミサ〕により、イエス・キリストについてのすべての知識は消しさられ、福音の教えは否定され、妨害され、時間は鳴り物、咆哮、儀式、照明、撒香、扮装、その他の猿芝居に占有され、それによって哀れな人々は羊のごとくみじめに扱われ、だまされ、これらの獰猛な狼どもに食われ、かじられ、むさぼられている。（…）彼らは山賊のように、自分たちに反抗する者をことごとく殺し、焼き、破壊している。（…）真理は彼らをおびやかす。真理は彼らにつきまとい、追いまわす。真理は彼らをおびえさせる。それによって彼らは〔やがて〕滅ぼされる。〔御心がなりますように〕アーメン。

4

サボティエ、怒る

フランスの歴史上、多くの反乱がパリで起きているのに対し、「黄色いベスト運動」［二〇一八年一一月、燃料税引き上げ反対からはじまった抗議活動］は農村や都市周辺部で生まれた。だがメディアがそうしていたように、これをジャックリー（農民反乱）とみなすのは、少し性急すぎるだろう。一九六一年にアラン・ドゥコーが指摘したように、「ジャックリーという言葉は無差別に使われてきたが、誤用が多かった（…）」。筆者フランク・フェランは、現代の抗議運動を中世の一連のジャックリーの乱、とくにその発端となった一三五八年の反乱と比較するのでなく、民衆の反エリート感情を特徴とし、民衆のあいだにある種の熱狂がみられた事例との共通点を指摘する。その一つが一六五〇年代、ソローニュ地方で起きたサボティエ戦争（当時の農民が履いていた木靴《サボ》に由来する）である。

長年の不満が鬱積するなか、現実世界から乖離したエリートに対してつのる無言の怒り。不平等な制度（とくに税制）のせいで苦労を日々負わされているという感情。庶民からますます遠ざかる政府への幻滅を背景に、散発的に、ときに矛盾する形で出される要求の数々。そしてついに、まずい形で発表された政府の決定が挑発と受けとめられ、小さな火花でも爆発しかねなかった火薬に火がつく。ルイ一四世時代の最初期、「サボティエ戦争」として歴史に名を残すソローニュでの大反乱は、現代の抗議運動と奇妙に似かよっている。

サボティエ戦争は「フロンドの乱」――富裕層出身の法服貴族による「高等法院のフロンド」と、国王への権力集中に反発する「貴族のフロンド」の二種類があった――の直後に起きた。当時の王権は外国人であるマザランに牛耳られて弱体化し、闇の勢力に支配されているとみなされていた。一六五二年、フロンド反乱軍からねがえったテュレンヌが指揮する国王軍はジアンを攻め、大貴族らの反乱軍がパリに向かう道をはばんだ。国王軍がコンデ公に勝利したため王権は安定し、マザランも権力の座によびもどされた。だが反乱側につく地方貴族は報復をあきらめることなく、ロワール河流域にはパリ宮廷への否定的感情が色濃く残った。

それから二年もたたないうちに、蔓延する貧困に苦しめられるソローニュで、クロシェという一介の屋根葺き職人が徴税人に対して反乱を起こした。これに対する報復措置で、ロモランタンの無実の職人が処刑されることになった。彼に同情した民衆の反乱、混乱、暴力…動揺はソローニュ地方全域に広がっていった。だが、これはほじまりにすぎなかった。

人々の怒りを決定づけたのは、いわゆる「リアール」事件だった。これは宰相マザランの一派が考案した一種の間接税で、ロワール地方のムンを中心に鋳造されていた少額銅貨、リアールのレートを人為的に操作し、国庫をうるおそうとするものだった。一六五八年五月二三日の禁令は「すべての者が商取引でリアールの受けとりを拒否することを禁じ」たため、庶民は怒り狂った。医師ギー・パタンが五月二九日に記したところによれば、「ソローニュの数多くの農民が結集し、現時点で兵力七〇〇〇人ほどの軍隊の呈をなしている。ひとたび進軍すれば、その規模は、古代ローマの詩人が名声について述べたように、ふくれあがる。行く先々の小教区で不満分子たちが戦列にくわわる。ここに傑出したリーダーが現われれば、騒動は大きく広がるだろう」

まもなくこの言葉は現実のものとなる。サボティィエのリーダーとして新教徒の若い貴族が登場する。ボンヌソン侯ガブリエル・ド・ジョクールだ（彼の兄弟は、フロンド側について戦死していた）。侯の指揮のもとで反乱軍の組織化は進んだかに見え、たちまちオルレアネ地方からボース地方、ペルシュ地方へと広がり、ノルマンディ地方をもおびやかす勢いとなった。ポワトゥー北部にもじわじわ近づくにいたって、国王評議会は六月、暴動に発展すると懸念される民衆の集会について、どんな場所であれ禁止するものとした。

だが対抗策はかえって火に油をそそいだ。都市での集会の権利を失った不満分子が農村部に流れ、その活動は制御不能のものとなった。反乱の歴史にくわしいルイ・ジャリーによれば、国王軍がシュリー＝シュル＝ロワールを包囲した際、二〇〇〇人もの反乱軍が立てこもったという。パリ高等法院は心情的にフロンドに近かったとはいえ、収拾にのりださざるをえなかった。高等法院はまず、「従わなければ不敬罪として処罰するとの条件つきで」武器をすてることを命じた。続く第二の命令では、「明確な王の命令なしに兵士や新兵を徴集し、野戦配置につくこと」を禁じた。口先だけと反乱軍はタカをくくったが、この命令には国王軍の配備という裏づけがあった。

締めつけの一方で、交渉の道も模索された。ルイ一四世の叔父にあたる海千山千のオルレアン公ガストンが、調停役として宮廷から反乱軍に派遣された。こうしてガストンはボンヌソン侯と会見するが、ボンヌソンは人々から託されたさまざまな要求の実現を望んでいた。悪名高いタイユ（直接税）の引き下げ、リアール相場の自由化などだ。マザランはこれらの要求に理解を示すふりをしたが、結局は一歩もゆずらなかった。反乱には表面的な不満を超えた根深い動機があり、既成秩序をあやうくしかねないものとわかっていたのだろう。反乱は王国のパワーバランスそのものを問いなおそうとしていた。裕福な人々、あるいはすくなくともそう見える人々に実質的に抵抗しているのは、貧しい民衆だったからである。

ルイ・ジャリーによれば、反乱軍の要求に応じることは「弱みをみせることになり、危険でもあった。サボティエたちを交戦相手と認めれば、反乱を正当化することになる。その要求をすべてのめば、彼らは戦いの勝者となる。ほんのささいな口実から、ふたたび反乱を起こさないともかぎらない。反乱が大目にみられたことで周辺の地方が勢いづき、運動が玉つき式にフランス全土に広がらないと、だれが保証できるだろう」

グラン・シエクル［偉大なる世紀。ルイ一四世の時代］の農民反乱

ルイ一四世の治下、サボティエ戦争以外で最大の反乱は、一六六一年のブロンネ、一六六二年のラヴァル、一六六三年のオーヴェルニュ、一六六四年と一六六五年のベアルン、ビゴール、ボルドー、ブールジュ、一六七五年のレンヌとバス＝ブルターニュの各地方で次々と起きたものである。（…）ほかにも、より局地的だが一六七〇年にリヨン、ヴィヴァレ、トゥール、ペリグー、ル・マンなどで起きた反乱がある。これらに共通しているのは、例外なく過酷な弾圧にさらされたことだ。ルイ一四世やコルベールらの閣僚にとって、それは国

権強化のために必要な代償だった。
宮廷・高等法院・パリ――すなわち特権階級――にとって、ソローニュの農民はほんの数週間のうちに命をおびやかす存在となっていた。歴史の語り部、ジェラール・ブテはこう記す。「見るがいい、幽霊のようにボロをまとい、おそれ知らずに叫んでいる汚らわしい百姓どもを。見るがいい、彼らには見る価値がある。見るがいい。錆びた長柄鎌、なまった槍、大きな城の持ち主から盗んだ大串で武装した彼らを」。ブテはこの「ソローニュの邪悪なサボティエたち」を、若い王をいただく軍隊の冷酷な暴力と対比させる。だが国王軍は、天候が悪い冬に入ると動きが鈍った。「冬は軍隊も警戒の動きを止めた。すくなくとも僻地では頻度が減った。ゴロツキどもはこの機に乗じて体制を整えようとした。帰宅して兵士の待ち伏せに会い、わが家が灰燼に帰しているのを目にする者もいた。それ以外の者たちは寒さを避けて森の空き地にのがれた。土を掘った天幕とも小屋ともつかない住処に、サボティエたちは冬眠する野獣のように身を隠した」

ボンヌソン侯はベルギーに行ってコンデ公に支援を求めるが、失敗。サボティエたちは怒れる民衆という、不確実な資源に頼るしかなかった。都市では中産階級の安全を守るために民兵が組織され、国王軍もラ・ピロワ中将やクレランボー元帥の指揮のもと、取り締まりを強化した。こうした反乱の宿命として、遅かれ早かれ法的強制力と対決することになる。実際、ブロワ上流のサン＝ドニ＝シュル＝ロワールで衝突が起こった。みな殺しの勝利で、過酷な弾圧がくわえられた。反乱軍の死体は荷車にくくりつけられて道路をひきずられ、捕虜は十字架にかけられた。秋になると、若きコルベール（まだ宰相ではなかった）が任命した新しいオルレアン総督、フランソワ・ド・フォルシアが鉄槌をふるってソローニュ地方の息の根を止め、悪名高き竜騎兵（ドラゴナード）を送りこんで地域全体を恐怖におとしいれた。ソローニュ地方全体が迫害され、過疎化し、生命力を失って衰退した。

ボンヌソン侯ガブリエル・ド・ジョクールは欠席裁判で死刑を宣告され、一六五九年に潜伏した。心休まらぬ逃亡生活は、九月一日に共犯者とともに逮捕されて終わった。そして一二月、パリのクロワ＝デュ＝タイヨワール広場で斬首された。ギー・パタンによれば、「彼はユグノーとして死に、改宗をうながすソルボンヌ大学の博士の言葉に耳をかさなかった。目隠しを断わり、（…）徒歩や騎馬の射手隊八〇〇人に護衛され、バスティーユから高さのある荷車で運ばれたから、パリ中の人々が目撃したことだろう」。見せしめの処刑により、王国を危機におとしいれた散発的な民衆反乱は終わりを告げ、ルイ一四世治下でその後も発生しつづける反乱の数々はボヤにすぎず、たやすく消し止められた。

5

コルベール、光と影

二〇二〇年、県立ソー公園のイル＝ド＝フランス博物館［コルベールが所有していた城館の残存部分が博物館となっている］を会場として、展覧会「コルベール一族、大臣かつ蒐集家」が開催された。フランク・フェランにとってこれは、ルイ一四世に仕えたもっとも偉大な大臣の肖像画を、明るい絵の具だけでなく暗い絵の具も使って描く千載一遇の好機であった。

一六六一年から一六七一年の一〇年間——短くも輝かしい一〇年——、ジャン＝バティスト・コルベールは、王政の重鎮として権勢をふるった。ルイ一四世親政の最初の一〇年にあたるこの期間は、フランス国民の無意識に、春の大掃除に等しい大改革というイメージをうえつけている。当時、フランス王国は変革のただなかにあり、一六六一年はすべてをゼロから作りなおす出発点であった。このことは、あらゆる分野で基準を確立しようとしたジャン＝バティスト・コルベールの熱意を正当化するように思われる。国務諮問会議の改革、地方長官府の掌握と監督、王権の司法権限の拡大、アカデミーや王国の重要機関の創設、度量衡の統一、マニュファクチュール［国営の手工業的工場］の振興、植民地の拡大…。フランスの威光を高めることに心血をそそぐコルベールにとって、これらすべては取り組むべき課題であった。その目的は、事情通が「大計画」とやや秘密めかしてよんでいるものに奉仕することであった。

ほんとうのところ、コルベールの努力のすべてはこの「大計画」の達成のみをめざしていた。この点を忘れると、コルベールという人物、彼の人生と使命の本質を把握できないといえよう。「大計画」を視野に入れなかったとしたら、コルベールの精勤ぶりを愚かしさ、彼の粘りづよさを意固地だと曲解してしまうかもしれない。この計画を、どのように定義すべきか？　コルベールはリシュリューの路線を引き継いで推進したといえよう（なお、リシュリューの路線の一部はマザランの政策によってすでに延長されていた）。偉大なリシュリュー枢機卿――後継者となったマザランも枢機卿であった――と同じく、コルベールは自分が仕える国王の栄光のみにつくしていた。リシュリューと同じく、コルベールは中央権力の全方面における強化を通じて国家の構築にはげんだ。フランス王国の力と栄光に資するあらゆるものは優遇されるべきであり、これらを弱体化させかねないものはすべてたたくべし。これがコルベールの方針だった。

だが、そういった大事業に取り組む前提として彼が請け負ったのは財政を健全化し、王権に金を貸した債権者の力をそぎ、税制のばらつきを調整し、間接税収入を——すくなくとも塩税をとおして——可能なかぎり増やすことだった。これに成果をあげたからこそ、彼はルイ一四世から感謝されたのだ。こうして国家財政を預かる財務総監として辣腕をふるったコルベールであるが、国王個人の利益にも同じように気を配り、国王直領地の経営にも熱意をみせた。国王領の森林がよい例だ。コルベールの指揮下、国王領森林の面積は拡大し、一六六一年には八万リーヴルであった林業収入は二五年後には年間五〇〇万リーヴル超となった！

「国王の木材」生産拡充には理由があった。造船のためである。旺盛な通商を支える強力な船団の構築は、執務室の静けさのなかで脇目もふらずに仕事に取り組んでいたジャン＝バティスト・コルベールの忍耐心と粘りづよさを雄弁に物語るもう一つの例であり、彼はこれにも心血をそそいだ。彼にとって、王家の名で建造された船舶はいずれも、戦場でもぎとった勝利よりも重要な勝利であった。そして海外に設けられた商館はいずれも、どのような要塞にもおとらないほど重要な施設であった。彼は次のように書いている。「貿易会社はわたしの軍隊であり、フランスのマニュファクチュールはわたしの武器庫である…」

真の戦場は経済領域である、というのがコルベールの持論であった。結局のところ、彼の大計画の目的は、隆盛な経済活動が効率よく展開するための枠組みを整えることであり、それ以外のなにものでもなかった。正しく理解された重商主義とは、国内で付加価値の高い財を生産し、大量に輸出することで国富増強をもたらすものであるべきだ。商人のロジックそのものである…。ルイ・マドラン［フランスの歴史家、一八七一―一九五六］は、コルベールの重商主義が、ランスの織物商人を祖先とするその出自から受けた影響について次のように語っている。「父親や祖父を通じて受け継いだランスの織物商人の血は、彼を有能な商人に仕立て上げた。二世紀ものあいだ、夜ごとに綿密に金勘定し、帳簿を点検してきた一族に生まれた者が、そうした先祖の影響を受けないはずがない。きわめて現実的な才覚があり、法律と資産の知識はお手のものという商人一族が、きわめて現実的な天才を輩出するのは必然であった」

国王の栄光を高めるためのこうした大事業にいっそうの華をそえたのは、これまた輝かしい文化政策であった。ルイ一四世はそもそも、「科学とリベラルアーツを王国内で花開かせる」ことを自身の使命と心得ていた。ほかの分野でも同様であったが、コルベールは文化政策においても国王に細大もらさず報告することを、自分の名誉にかかわる義務、と心得ていた。イネス・ミュラ［フランスの伝記作家］は次のように書いている。「二人はすくなくとも週に五回は諮問会議において、〝リアース〟（陛下の執務）補佐としては週に三回は話しあった。あわせるとひと月に約四〇時間にもなる。くわえて、二人は仲介者をまじえずに定期的に手紙をやりとりした。コルベールの手紙は行間を大きく空けて書かれていて、ルイ一四世はみずからの手で修正を入れて送り返した」

とはいえ、ルイ一四世は自分の重臣にも欠点があることに気づいていた。有名な回想のなかで、ルイ一四世はコルベールについて「非常に仕事熱心で、知的で、誠実」だと認めているが、次のようにつけ足している。「彼にはそれ以上に野心があり、おそらくは少々狭量なところもあった。だが、わたしによく仕えてくれた」。おそらくは、最後に指摘した長所――「よく仕えてくれた」――は、太陽王にとって欠点を補ってあまりあるものだったのだろう。とはいえ、国王自身の目にとまるくらいだから、コルベールの野心と狭量はだれの目にも明らかだったにちがいない。

事実、コルベールの野心にはどこか病的なところがあった。野心ゆえに彼は役職や責任を理不尽なほどに背負いこんだ。本人の神経が磨り減るほどに…。イネス・ミュラはこれについて次のように記している。「彼が非公式に担っていた職責の一部は、公式には別の人物が担っていた。彼の役職を現代のフランス政府閣僚のポストと対応させるとしたら、コルベールが掌握していたのは、内務、国土整備、法務（すくなくとも一六七七年まで）、財務、予算、経済（製造業と商業）、農業、海洋、植民地、科学研究、文化という各省の仕事すべてであった。そのうえに、パリ市統治と宮内庁まで引き受けていた！　彼は外務省と戦争省をのぞき（ただし、要塞と艦船団の一部は彼の管轄下にあった）、すべての省庁を統括していたのだ」

このような貪欲な役職独占欲はコルベール一人にとどまらず、一族に広まった。ピュソール、クロワシ、デマレッツ、セニュレ、ドルモワといった、叔父、弟、甥、息子をはじめとする親戚一同が高位の官職についていた。コルベール一族の権勢はたいへんなものとなったので、一六七〇年代に入るころ、力のある名家はコルベール一族にならい、家族のだれかが要職を勝ちとるとこれを利用しようとするようになった。ティエリー・サルマンとマテュー・ストールが最近上梓した伝記は、コルベールの一族郎党に多くのページをさき、ジャン＝バティスト・コルベールの栄光が親類縁者にいかに恩恵をもたらしたかについて詳しく説明している。「全員が、財務総監［ジャン＝バティスト・コルベール］の威光から利益を得た。峻厳そのものの尼僧や、かなりの遠縁の者たちでさえも。一族はいわば星雲を形成し、ジャン＝バティストが中心を占める同心円のつらなりとなった。ジャン＝バティストが「グラン・コルベール［大コルベール］」とよばれたのは――本人の存命中から存在したよび名である――、より小さなコルベールが雲霞のごとく群がっていたからからにほかならない。われらがヒーローは、この大勢のコルベールのなかで頭一つ抜きんでていたのだ」

サルマンとストールは次のようにも述べている。「コルベールの頭のなかでは、個人的野心と信念としてのドクトリンは一体となっていた。二つが競うようにコルベールをつき動かしたために、彼は国家を一つのシステム、すなわち、どの部分も合理的に組織されるべき総体、とみなすようになった。生命体にたとえるなら、財務は、王国という広がりをもった体のすみずみに流れる、生命活動に欠かせない血液である。血液が涸れることなく流れるためには、肢体と血管は健康であらねばならない。財政の良好な運営をめざす以上、〈可能なかぎりの秩序〉が保たれるように国家と社会を全般にわたって統治することも必要となる」。コルベールが考える国家はなにかにつけて介入し、捕食者のようにもふるまうゆえに、厳格な指令と、その適用の綿密な監視があってはじめて良好に機能する。財務総監の肩書をもつコルベールは、総監の名にふさわしい人物であった。彼は財務だけではなく、すべてをコントロールした。宮廷、パリ市、商品、市場、陸地、海、自分の一族、自分の同盟者……

こうした性向が行き着く先となる狭量は同時代の人々の気づくところとなり、どれほど寛大な人であっても眉をひそめたようだ。しばしば指摘され、だれもが知るところであった厳格さゆえに、コルベールはセヴィニエ侯爵夫人［一六二六―九六。地方に嫁いだ娘宛てに書いた膨大な書簡で知られる。機知に富んだ文体で、宮廷や首都パリの出来事や噂話を綴った］に「ノール（北）」や「不愛想な大臣」とよばれた。彼女はフーケ［一六一五―八〇。コルベール以前に大蔵卿として権勢をふるったが、公金横領をとがめられて逮捕され、死ぬまで投獄された」に同情的であったから、フーケ弾劾の急先鋒であったコルベールに好意をいだくはずがないのは当然だったが…。彼女は、コルベールの外見は、氷のように冷たい気質に対応するように不細工である、とつけくわえている。その一方、ショワジ師［一六四四－一七二四、聖職者］は、「生まれつきのしかめ面《つら》。窪んだ目、分厚く黒い眉毛のせいで顔つきはいかめしく、そのために、粗野で感じが悪い、というのが第一印象だ。だが、やがて（…）かなり気さくな人物であり、てきぱきとして、ゆるぎない自信の持ち主である、と感じるようになる」

一六七一年から一六八三年までの一二年間は、ライバルのルーヴォワがたくらむ陰謀に足をとられまいと戦うことが多く、どちらかといえば暗く長い歳月であった。ついに死の床にふせったコルベールを嘘いつわりなく心配したルイ一四世から、愛情と気づかいがこもったメッセージがとどいたとき、コルベールは無関心をよそおった。これだけつくしたのに、という無念のあらわれだろうか…。マドランは、おそらくコルベールは「生まれるのが早すぎた」と考察している。「(彼が生まれた時代は) 彼を理解するには旧弊すぎ、コルベール本人があきらめて投げ出すほどには旧弊ではなかった。たった一人で、やがてブルボン王家を奈落にひきずりこむことになるあらがいがたい急流を堰《せ》き止めようと戦うことに疲れたコルベールは、死の床につき、苦々しい思いを隠さなかった、それもそのはずである! 彼はだれにも理解されなかったのだから」

一六七一年の嵐

ティエリー・サルマンとマテュー・ストールが共著し、さきごろタランディエから出版した伝記『ル・グラン・コルベール』は必読である。この本のクライマックスの一つは、ターニングポイントとよぶことができる一六七一年に、ルイ一四世と重臣コルベールとのあいだに生じた、前例のないほど重大な危機である。実弟クロワシと従弟テロンがかかわる事件によって立場が微妙になっていたコルベールは、ライバルのルーヴォワが威光高き聖霊騎士団長に任命されたことに衝撃を受けていた。四月二二日、フランドルに発とうとしていたルイ一四世にコルベールはくい下がり、海軍部隊の監督権限がルーヴォワ派の手にわたったことに抗議する、というかなり非常識なふるまいに出た。いつものことだが、自制心に富んだルイ一四世は、その場で返答しなかった。しかし二日後、シャンティイから、険悪とまでいわずとも、これ以上ないほどによそよそしい手紙をコルベールに送った。結びには次のように書かれていた。「余をまたも怒らせるような軽挙に出ないでほしい。あなたの言い分と、あなたの同僚たちの言い分を聞いてから、あなたの主張すべてについてわたしが裁定したのちに、話が蒸し返されるのは聞きたくないがゆえに」。叱責されたコルベールが、おそらくは絶望にくれながら書いたと思われる返事を出したことで、ルイ一四世の怒りは鎮まったようだ。四月二六日、国王はコルベールに次のようにしたためた。「信じていただきたい。余のあなたに対する態度は少しも変わっていない。余の気持ちについては安心してほしい」。『ル・グラン・コルベール』は、このエピソードの最後を次のようにしめくくっている。「ダンピエールの史料館に保管されている文書によってのみ知ることができる一六七一年の嵐に類する事件は、ルイ一四世の治世下でほかには一度しか起きていない。二〇年後の一六九一年、モンス［現ベルギーの、エノー州の州都］攻囲戦のさなか、ルーヴォワとルイ一四世のあいだに生じた衝突である。しかし、その場にいたのは二人だけでなく、複数名が証言を残しており、あまりにも深刻だったのでルーヴォワの失寵は不可避かと思われた。ルイ一四世とコルベールのあいだの確執は、宮廷人のだれにも知られることがなく、ジャン＝バティストが失寵の崖っぷちに立たされた可能性は微塵《みじん》もなかったようだ」

6

美しきアイセ、摂政時代のミューズ

ルイ一五世時代に書簡集を残したことで有名なマドモワゼル・アイセについて、ポール・ド・サン＝ヴィクトール［一九世紀の文芸評論家］は、「才気、憂い、純真が絢《な》いまぜとなったこの人物は、貴婦人、処女、フーリー［天国に来たイスラム男性信徒の相手をする天女］の顔をもっている」と述べている。摂政時代のミューズとなった元イスタンブールの女奴隷の実像とは？

この話は、「昔々あるところに、活き活きとして、とてもかわいらしい少女がおりました」とペローのおとぎ話のようにはじめることができる。やや浅黒い楕円形の顔。ビロードのような黒い睫毛に縁どられた、喜びを発散している大きな目。しかし、この女の子には喜ぶべき理由など少しもなかった。チェルケス（ドン川とヴォルガ川にはさまれたカフカスの一地方）生まれの彼女は幼少期に、トルコが生まれ故郷を略奪し、住んでいた家を焼きはらい、家族が虐殺されるのをまのあたりにした。彼女自身も捕縛された。同郷人と同じくその場で殺されてもおかしくなかったが、この子は美しすぎて殺すのはおしい、と判断した略奪者たちは、彼女を奴隷の一団にくわえてイスタンブールに送りこんだ。命は助かったが、幼いハイデ——これがトルコ人たちに彼女にあたえた新しい名前だ——が支払うべき代償は大きかった。

ルイ一四世時代のオスマン帝国において、ハイデを待っている唯一の運命は、王侯のハーレムという黄金の牢獄で一生をすごすことであった…。これがまさにハイデの身に起こったことであり、香料がたかれた隠微な雰囲気が西洋人の旅行者の心をとらえ、彼らが書く旅行記の読者たちの夢想をかきたてたハーレムの一つで育てられることになった。だが、偶然にもハイデはここで、フランスの外交官、フェリオル伯爵と出会うことになる。

駐イスタンブール仏大使のカスタニェール侯爵を補佐していたシャルル・ド・フェリオルは五〇がらみの男盛りだった。オスマン帝国大宰相のフセイン・パシャと親しかったフェリオル伯は以前よりオスマン文明を研究しており、ついにはオリエント風の服装をまとうようにもなり、パリの友人たちからは「フェリオル・パシャ」というあだ名を進呈されていた。ある日の夜、彼は破格の待遇として、少女ハイデが閉じこめられていたハーレムの見学を許された。フェリオルの視線は、まだ六歳であったハイデの輝くばかりに美しい顔に釘づけとなった。フェリオル伯はただちに心を決めた。時間——おそらくはエネルギーと金も——がどれほどかかろうとも、やがて訪れる悲しい運命からこの子を助けだそう、と。後日、ハイデは動物さながらに奴隷市場で買いとられた、と噂されたが、真実は違う。身分の高い者同士がひそかに直接交渉した結果、一五〇〇リーヴルという高額で話はまとまった。

ここまでオリエンタルな異国情緒たっぷりだった話は、一挙にフランス風となる。パリによびもどされたフェリオル伯は、自分の最新の「買い物」をつれて帰ることに決めた！　一六九八年六月二二日、彼は自分が解放した少女をともなって帰

郵便はがき

料金受取人払郵便

新宿局承認

6848

差出有効期限
2023年9月
30日まで

切手をはら
ずにお出し
下さい

160-8791

343

(受取人)
東京都新宿区
新宿一-二五-一三

原書房
読者係 行

1608791343 7

図書注文書 (当社刊行物のご注文にご利用下さい)

書名	本体価格	申込数
		部
		部
		部

お名前 注文日 年 月 日

ご連絡先電話番号 □自宅 ( )
(必ずご記入ください) □勤務先 ( )

ご指定書店(地区) (お買つけの書店名をご記入下さい)

書店名 書店(店)

帳合

7244

運命が変えた世界史　上

愛読者カード　フランク・フェラン 著

＊より良い出版の参考のために、以下のアンケートにご協力をお願いします。＊但し、今後あなたの個人情報(住所・氏名・電話・メールなど)を使って、原書房のご案内などを送って欲しくないという方は、右の□に×印を付けてください。　□

フリガナ
お名前　　男・女(　　歳)

ご住所　〒　　-

市　町
郡　村
TEL　(　　)
e-mail　@

ご職業　1会社員　2自営業　3公務員　4教育関係
5学生　6主婦　7その他(　　)

お買い求めのポイント
1テーマに興味があった　2内容がおもしろそうだった
3タイトル　4表紙デザイン　5著者　6帯の文句
7広告を見て(新聞名・雑誌名　　)
8書評を読んで(新聞名・雑誌名　　)
9その他(　　)

お好きな本のジャンル
1ミステリー・エンターテインメント
2その他の小説・エッセイ　3ノンフィクション
4人文・歴史　その他(5天声人語　6軍事　7　　)

ご購読新聞雑誌

本書への感想、また読んでみたい作家、テーマなどございましたらお聞かせください。

国の旅に出発した。もって生まれたまっすぐな性格を考えると、彼女はこの船旅に胸を躍らせたにちがいないが、おそれおののいた可能性もある…。八月二〇日にマルセイユに到着すると、フェリオルと彼が庇護していた少女は、オスマン帝国からもち帰ったオリエントのぜいたくな布地、絨毯、陶器に目をみはる港の人々の好奇心を面白がった。ハイデの美少女ぶりも注目を集めたのだろうか？　これについて、歴史は沈黙している。

北をめざして馬車の旅がはじまり——途中で、ブレス地方のポン＝ド＝ヴェルで長逗留した——、ハイデはリヨンで受洗してキリスト教徒となった。洗礼式にも立ち会って代母となったのは、リヨンのセネシャル裁判所長の妻であるエリザベート・ド・ラ・フェリエールであった。少女は代母の名前をもらって、シャルロット

＝エリザベートと名のることとなった。しかし、フェリオル伯の周囲の者たちは全員、彼女をアイセとよんだ。パリに着くと、フェリオル伯は、世間が彼の養女とみなしていたアイセを弟のオーギュスタンに、より正確にいえば弟の妻に託した。クリスマスの前にフェリオル伯はカスタニェール侯爵の後任として駐イスタンブール仏大使に任命され、翌年の八月にマルセイユからふたたび任地へと発ったからだ。イスタンブールに着任したフランス大使閣下は、自分が仕えるルイ一四世の威光をみせつけるかのようにぜいたく三昧《ざんまい》にふけった。その豪遊ぶりに、スルタンまでもが気を悪くした…

その一方、パリでは、かわいらしいアイセはすくすくと成長し、ますます美しくなった。やや浅黒い肌の色ゆえに、人々は彼女を「ギリシア娘」とよんだ。これは蔑称ではなかった。彼女はあまりにも美しかったから、からかいの対象などなりえなかった！　アイセの身のまわりの世話を焼いた養育係たちは彼女のはつらつとした性格を面白がった。フェリオル伯の甥であるアントワーヌが彼女の遊び相手となった。有力者たちと知りあいになる機会も得た。たとえば、フェリオル伯の妹はアイセをタンサン師（のちの枢機卿）に紹介した。タンサン師の妹はやがて、有名なサロンの女主人、作家として名をはせることになる…。一七〇二年、一〇歳もしくは一一歳となったアイセは、家庭教師から個人授業を受け、その後に教育を完成させるためにヌーヴェル・カトリック修道院――ヌーヴェル［新］という言葉でわかるように、大貴族たちが娘を預ける老舗《しにせ》の修道院ではなかった――で学んだ。

一七一一年、パリに戻ったフェリオル伯が再会したアイセは、花も恥じらう若い娘となっていた。彼女が発揮する魅力はあらがいがたいものであり、引退間近だった「フェリオル・パシャ」は茫然自失した。義妹に託したかわいらしい少女は、ぴちぴちとした魅力でだれにも負けない乙女に成長していた！　称賛に値する体つき、「絵に描きたくなるような」顔、高位の貴婦人にみられるような、機知と優美と気負いのなさ。当然ながら、流行の先端を行く貴公子たちが、彼女の気を引こうと大勢集まっていた。彼らは、自分たちのアイドルを「チェルケスのニンフ」、もしくは「美しきアイセ」とよんでいた。

――詠み人知らずの詩

アイセはギリシアから美しさをくみとり
フランスからは、機知と物腰と言葉づかいの魅力を
借り受けた
彼女の心については、わたしもさっぱりわからない
心の養分を彼女はどこに求めたのだろう?
黄金時代、またはラストレ〔一七世紀フランスの有名な長編小説〕よりこのかた
前例がない心の持ち主だ

シャルル・ド・フェリオルはすぐさま、アイセのまわりを蜂のようにブンブンと飛びまわる若い連中を追いはらった。自分の「大事な持ちもの」を他人と分かちあ

うことなど御免であった。フェリオル伯は今回、フォンタナという名のアルメニア女性をやはり自分の養女としてつれ帰ったのだが、お気に入りはやはりアイセであった。そして、そうした気持ちを隠そうともせず、「老後の楽しみを（賢く）準備したことはわれながら天晴《あっぱれ》だった」と自慢してはばからなかった…。彼は、アイセ宛ての手紙のなかで信じられないようなことを書いている。「運命は、あなたがわたしの愛人かつ娘になることを望んだ。愛と友情、燃える欲望と父性愛を切り分けることはわたしにとって不可能であるゆえに…」。また、「わたしがいなかったら、あなたはトルコ人の妾となり、おそらくは二〇人ほどのほかの妾と寵愛を競うことになっただろう」とさえ言っている。

おりもおり、フランスは羽目をはずして享楽にふける時代を迎えようとしていた。一七一五年にルイ一四世が崩御すると、マントノン夫人［ルイ一四世が非公式に再婚した相手。信仰心の篤《あつ》い女性であり、彼女の影響によって宮廷には厳格な雰囲気がただよっていた］とその一派がはめた箍《たが》が吹き飛んだ。摂政［ルイ一四世の甥、フィリップ・ドルレアン］は享楽的な人物であり、率先して放埓《ほうらつ》のお手本となった。彼にならって、宮廷人たちは賭け事に興じ、笑いさざめき、娯楽にうつつをぬかし、新世紀を軽佻浮薄に満喫できることになった若い貴族たちは熱狂した…。「恋愛遊戯」がさかんとなり、シャンパンがなみなみとそそがれるようになった今の時代を楽しもうと、アイセは同じ乳母に育てられたダルジャンタルとポン＝ド＝ヴェルにともなわれ、悦楽の都パリへとくりだした。摂政その人もアイセに色目を使ったが袖にされた、とさえいわれている…

というのも、老フェリオルは自分の所有物と考えているアイセに虫がつかないように監視の目を光らせていたからだ。イギリス人の友人、ボリングブルック子爵に、アイセがつつしみ深く純潔である、と自慢したほどだ。掌中の珠であったアイセが、一七一九年の春にデファン侯爵夫人［教養のある女性で、知識人が彼女のサロンに集まった。ヴォルテールの友人であり、イギリスの政治家かつ小説家であったホレス・ウォルポールのペンフレンドでもあった］のサロンで電流に撃たれたように、マルタ騎士団に属する騎士と恋に落ちるとは夢にも思っていなかったのだ。アイセが一目惚れしたのは、おとぎ話の王子さながらのやさしげな顔の若者であり、その物腰は典雅であった。「チェルケスのニンフ」の心をとらえた騎士の名はブレーズ＝マリ・ダイディ。騎士のほうも、アイセの美しさに打たれた。ハーレム出身の娘、という評判も、彼女の魅力にいっそうの味わいをそえたのだろうか？　何であれ、短時間のうちに嘘いつわりのない愛が二人を引きよせた。おそらくは、この恋の成就をさまたげる障害ゆえに、二人の情熱はいっそう燃え上がったことだろう。

アイセにとって最大の障壁は、自身の出自と評判――不当な噂であり、彼女は身持ちのよい娘であったが――が愛する騎士におよぼす悪影響であった。二人が恋仲であることがパリの上流階級に知れわたれば、騎士とその家族の名誉が傷ついてしまう。自分がそうしたスキャンダルの原因となることをアイセは望まなかった。コルネイユ［一七世紀フランスの劇作家］作品の登場人物のように、感情と義務感のあいだで引き裂かれたアイセは、騎士を強く求めながらも彼が不名誉にまみれることは望まず、自分を貴族階級に引き上げてくれる結婚を夢見ながらも愛する男性の評判を落とすことをなによりもおそれ、涙を流し、溜息をつき、めまいを起こした…。そして自制につとめ、恋心を封じた。

しかし、一七二〇年の春、老フェリオル伯が妹とともにブレス地方に発つことになったとき、アイセは口実を設けてパリに残ることに成功した。監視役はいなかった。そうなると、恋心は押さえきれなくなり、騎士ダイディに身をまかせた。これまでに失った時間をとりもどしたい願った二人は、来る日も来る日も、心も体も恋に捧げた…。その結果、秋になるとパリの上流階級の集まりで人々は扇《おうぎ》の陰で「マドモワゼル・アイセは身重になったらしい」とささやいた。一七二一年四月にひそかに産み落とされた女児は、「海軍士官ブレーズ・ル・ブロンとシャルロット・メリのあいだに生まれたセレニ」としてサン＝トゥスターシュ教区で略式洗礼を受けた…。その後まもなく、ドーヴァー海峡を渡り、ボリングブルック子爵夫人のもとで養育されることになった。

シャルル・ド・フェリオルは一七二二年一〇月に亡くなったので、相思相愛のアイセと騎士が正式に結婚してもおかしくなかった。ただし、ブレーズ＝マリ・ダイディはマルタ騎士団の団員として誓願を立てていたので、アイセと結婚すれば不名誉なうえに特権を失う可能性があった。しかし、結婚を望まなかったのは彼ではなかった。彼との結婚を夢見ながらも、生涯にわたってこれに拒否したのはアイセのほうであった。「わたしにとって、彼の栄誉は大切すぎるくらい大切なのです…。わたしは一日に一〇〇回も、彼をいかに尊重しなくてはならないかを忘れてはならない、と自分に言い聞かせています。義務感だけを頼りにして自分の義務を果たすことはなによりも悲しい」とアイセは嘆息した。たしかに、これほど悲しいことはない……

禁じられた恋の果実であるセレニ・ル・ブロンは、一七三一年にフランスに戻り、サンスのノートル＝ダム修道院に預けられた。アイセは修道院を訪れ、面会室の「格子越しに彼女のかわいい顔」を見た。「とても人なつこい子。かわいそうに、人にかわいがってもらう必要を感じているのだと思う」とアイセは記している。当然ながら、セレニはヒヤシンスやガーネーションが咲く庭をいっしょに散歩した訪問者が自分の母親であるとは知らなかった。だが、「わたしには父も母もいません。でも、あなたのことが好きです。お母さまであるかのように」とアイセにささやいたそうだ。

セレニの父親は、まだ若いルイ一五世に仕える身となり、外国に派遣されたことで、アイセとのあいだに距離を保てるようになった。しかし、二人の互いを思う気持ちに変わりはなかった。騎士ダイディは、結核をわずらったアイセが病の床に臥せっていると知ると、迷うことなくフランスに戻った。ゆえに一七三三年三月一三日、最愛の人の臨終に立ち会うことができた。享年四〇だと思われる。

騎士が亡くなるのは一七六一年。それまでの約三〇年間、彼は娘と孫娘の面倒を見た。そして、アイセとうりふたつの孫娘を包括受遺者に指定した。彼は生涯を終えるまで、死の床にあった最愛の女性に自分が書き送った言葉を胸のなかで反芻していた。「わたしはなにも嘆かない。貴女がわたしを永遠に愛する、と約束してくれたから。愛するアイセよ、どのような方法をもちいてもかまわないから、心穏やかに、幸せであっておくれ。貴女の心からわたしを追いはらうような方法でないかぎり、わたしはいつまでも耐えることができるから。わたしの貴女に対する愛は、これ以上は不可能なほど深く、貴女がそれ以上は望むことができぬほど純粋であることを信じてほしい」。病床のアイセは残された体力を使い、この手紙を何度も読み返した、といわれる。

熟達の書簡文作家

マドモワゼル・アイセはなによりも、彼女が残した書簡によって後世に名を残した。彼女の書簡集は何度か出版されている。最新版は、二〇一二年にアシェット・リーヴル／BnF［アシェット社とフランス国立図書館の共同事業］から出版された（一八四六年版の復刻）。洗練された嗜好の持ち主だったマドモワゼル・アイセがボリングブルック子爵夫人やカランドリー二夫人などに書き送った手紙からは、悔悟の念にさいなまれながらも、気力をふるいたたせて快活にふるまうようすが見てとれてチャーミングであり、ものごとの本質にせまる考察があるかと思えば、一転して軽快な口調となっている。マドモワゼル・アイセが同時代のもっともすぐれた女性書簡文作家の一人であったことがよくわかる。

7

魔法の楽器、ストラディヴァリウス

永遠の名声を誇るクレモナの弦楽器製作者、アントニオ・ストラディヴァーリは一〇〇〇挺を超える見事な楽器をこの世に送り出した。その一つである有名なミラノッロは、パガニーニやメニューインが弾いた、完璧そのもののヴァイオリンであり、ストラディヴァリウス神話を形づくった秘法の結実である。

一〇年ほどまえ、わたしは忘れがたいひとときを体験する幸運に恵まれた。ミラノッロ――ストラディヴァーリの工房から生まれた傑作楽器の一つ――をテーマとする自著の出版を記念して、故ジャン・ディヴォが歴史や美術工芸品を愛する人をごく少数集めた夕食会を開催したさいに、わたしも招かれたのである。食事が終わると、控えの間からヴァイオリンの妙なる調べが聞こえてきた。音色はしだいに大きくなり、最後には広間全体を満たすまでになった。そのとき、姿を現わしたのはコーリー・セロヴセクだった。ミラノッロを貸与されるという名誉に浴したヴァイオリン奏者その人が、ベートーヴェンのヴァイオリンソナタ「春」の絶妙な旋律で、小さな集まりを魅了してくれたのだ。この名器の音色を間近で聴き、ほぼ物理的に接することは、いわく言いがたいほどすばらしい体験だった。ゆえに、ほかの工房から生まれた楽器とは格段に違うストラディヴァリウス・ヴァイオリンの秘密を、先人たちに続いてわたしも探ってみたいと思うにいたった。

やがてミラノッロとよばれるようになるヴァイオリンが日の目を見たのは一七二八年のことだった。場所は、ヴァイオリンの都としての名声を同じロンバルディア地方のブレシアと分かちあうクレモナ、木とニスの香りがただようアントニオ・ストラディヴァーリの工房であった。当時、偉大な弦楽器製作者は八四歳であった（ミラノッロという呼称は、女性ヴァイオリニストの草分け、テレサ・ミラノッロが弾いたことに由来するが、これについてはのちほどあらためてふれる）。老アントニオは、この名器を制作するために、最良品種の針葉樹の木材を吟味して選んだ。鋸でひいて各部位を用意し、研磨し、組み立て、ニスをぬった。いずれの段階においても、細心の注意をはらって精密に。直観に導かれる手腕を武器として。完璧な腕前の完璧な成果であるヴァイオリンを、ストラディヴァーリは「落日」と名づけた。自身の人生が終章を迎えているから、という理由からではなく、このヴァイオリンの燃える火のような色ゆえの命名だ。マエストロは最後に、裏板の内側、左のｆ字孔からのぞかないかぎり見えない位置にラベルを貼った。「Antonius Stradivarius fecit Cremonae」［「クレモナのアントニオ・ストラディヴァーリ作」を意味するラテン語］というマジカルな文言が記されたラベルだ。

完成したヴァイオリンは、高名な発注者、アンハルト＝ケーテン侯レオポルト［音楽愛好家であり、ハープシコードとヴァイオリンを演奏した］のもとに届けられた。同侯の宮廷楽長はストラディヴァリウスと同じように伝説的な名前の持ち主だった。ヨハン＝セバスティアン・バッハその人である。ゆえに、「落日」が最初の音色を響かせたのは、誕生したばかりのヴァイオリンをテストするようレオポルト侯に依頼された楽聖の手のなかであった！　新生児は、天上から響くような産声をあげたにちがいない…。アンハルト侯の宮廷があるケーテンを訪れたヴィヴァルディも「落日」を弾いた、といわれる。ゆえに、このヴァイオリンは産み落とされてからすぐさま、栄光ある運命を約束されたのである。とはいえ、レオポルト侯の死後しばらくのあいだ、だれの手にふれることもなく城の片隅で無聊《ぶりょう》を託《かこ》つことになる。それも、レオポルト侯の後継者となった弟がこの名器をフランス国王に贈る、と決めるまでのことだった。こうして「落日」は、ルイ一五世が君臨するヴェルサイユで、大宴会や王家の内輪の食事を美しい響きでつつむこととなる…

ジャン・ディヴォは前述の著作のなかで、宮廷楽団のもっともすぐれたヴァイオリン奏者の一人であったジャン＝マリ・ルクレールを「落日」の奏者として描いている。一七六四年一〇月二三日に斬殺体で発見されたことでも有名な音楽家である。史実は異なり、ルクレールが弾いていたストラディヴァリウスは一七二一年制作の「ノワール（黒）」とよばれていたヴァイオリンだったようだ。一七二八年に制作された「落日」は、一時的とはいえ、突如として消息不明となる。次のルイ一六世の時代に、古物商の店先で発見されたことで「落日」はよみがえり、マリー・アントワネットお気に入りの名演奏家、ヴィオッティの愛器となった。革命期にヴィオッティは「落日」をともなってイギリスに渡り、金銭に不自由するようになると作曲家のドラゴネッティに売却した。

ドラゴネッティはチェロの演奏を得意としたが、ヴァイオリンのコレクターでもあった。彼は類まれな名器を蒐集し、さまざまな奏者に貸与した。そのうちには、「悪魔のヴァイオリン弾き」とよばれたニコロ・パガニーニもいた！　彼の比類なき超絶技巧は「落日」から驚くべきトリル、ピッツィカート、スタッカートを引き出し、このヴァイオリンの栄光をよみがえらせ、さらなる伝説を書きくわえた。折も折、一八三〇年代には、クレモナのストラディヴァーリの工房から生まれたすべてのヴァイオリンが特別視され、多くの人がストラディヴァリウスの秘密を解き明かそうとつとめるようになった。とくに関心の的となったのは、木材の産地であった。ベルトラン・デルモンクール［クラシック音楽を専門とするフランスのジャーナリスト］は次のように述べている。「表板に使われているトウヒ［マツ科の針葉高木］はイタリアのヴァル・ディ・フィエンメ由来であり、裏板の楓《かえで》は中欧産だ。樹木が伐採されたのは一月の、月が地球からいちばん遠く離れている時期［西洋ホロスコープで、リリスとよばれる］、すなわちすべての樹液が根にくだって、木質がきわめて軽くなっているとされる時期である。材木は手作業で割られ、乾燥には（すくなくとも）五年間をかけ、水分が蒸発し、樹脂が酸化するのを待つ。複雑なテクニックである」。だが、これだけではストラディヴァリウスの特異性は説明しきれない。

ニス、もう一つの秘密

ジャン＝フィリップ・エシャールは、ストラディヴァーリが完成させた伝説的なニスの成分を研究した。

「ストラディヴァーリは、ミツバチが特定の植物の芽から集める赤味をおびた樹脂混合物プロポリスが硬質化した琥珀、貝殻などを結合剤として使った、といわれてきた」。だが、ストラディヴァーリは、画家や家具職人と同様に、油をベースとした通常のニスのみを使っていた、というのがほんとうのようだ…。伝説が語るような、皮革、骨、チョウザメの抽出物を使った下塗りも存在しない。「マエストロが満月の夜に、ハンガリー東部のミツバチから蜜をしぼった、という途方もない話も伝説にすぎない」

一八四六年にドラゴネッティが死去すると、われらが主人公のヴァイオリンはうら若きヴァイオリン奏者の手にわたった。輝かしい美貌と才能をもつテレサ・ミラノッロである。舞台でいつも一緒の妹マリアは、姉が以前に使っていたヴァイオリン――一七〇三年に制作されたストラディヴァリウスで、ミラノッロ・ヘムベルトとよばれている――を弾いた(悲しいことに、妹マリアは二年後に早世する)。

テレサは幼いころから神童ぶりを発揮し、欧州各地で演奏して大成功をおさめていた。エクトール・ベルリオーズは彼女について次のように記している。「チャーミングで愛らしい女性、一六歳にして巨匠。欧州各地をめぐって五〇〇回以上のコンサートを開き、一〇〇万以上を稼ぎ、同時代のすぐれた男性演奏家たちと競った。エルンスト［ハインリヒ・ヴィルヘルム・エルンスト、チェコ生まれのヴァイオリニスト、作曲家］のように、だれも傷つけることなく和声の研ぎ澄まされた刃《やいば》をあやつる。これまたエルンストのように、エレジーが終わりに近づき、自分を偶像視する聴衆に別れを告げるときに、G線上でもの悲しくむせび泣く。アラール［ジャン＝デルファン・アラール、フランスのヴァイオリニスト］と同じく、深遠で抑制された表現力をもっている。ヴュータン［アンリ・ヴュータン、ベルギーのヴァイオリニスト、作曲家］やベリオ［シャルル＝オーギュスト・ド・ベリオ、ベルギーの作曲家、ヴァイオリニスト」と同等の非の打ちどころのない技術と美しいスタイルをもっている！そのような人物がいま、パリでコンサートを開くなんということがありうるのだろうか。ありうる、とミラノッロ嬢が証明してくれた」。夕陽のように赤く美しいストラディヴァリウスを入手して以来、テレサがほかのヴァイオリンを弾くことはもはやなくなった。彼女の愛器となったことで、「落日」は以降、「ミラノッロ」とよばれるようになる。

しかしながら、名ヴァイオリニストは一八五七年に、ポリテクニーク卒のハンサムな軍人、テオドール・パルマンティエ――ニール元帥の副官であり、科学者かつ音楽評論家でもあった――と結婚し、音楽家のキャリアを放棄した。約半世紀のあいだ、すなわち一九〇四年のテレサの死まで、われらの主人公であるヴァイオリンはケースに保管されたままだった…。その後、何度もオークションにかけられ、ミラノッロはイタリアからインドまで、あちらこちらを旅し、メニューインやアモイヤルといった最高峰のヴァイオリン奏者に演奏されたすえ、フランスの名ヴァイオリニスト、クリスティアン・フェラスに買いとられた。ディヴォは前述の著作のなかで次のように記している。「パガニーニやヴィオッティをふくめ、だれも「フェラス」のように温かく、ビロードのように艶やかな音色を引き出すことに成功した者はいなかった。彼は、こうした音色を、筋肉がこれ以上耐えられないほどのビブラートによって濃密なものとし、奇跡的な力強さを生み出した。ただし、一筋のはかなさが透けて見える力強さである」

残念ながら、マエストロ・フェラスは鬱傾向を強め、アルコールにおぼれるようになる。そして、ガヴォー・ホールで一九八二年に最後のコンサートを開いたのち、パリの建物の一一階にあった自宅アパートから投身自殺する…。孤児となったミラノッロは、ヴェネツィア在住のコレクターの持ちものとなった。このヴァイオリンは虫食いの被害にあっているのでは、という根拠なき疑いにさいなまれた新所有者は、何人かの著名なヴァイオリン製作者に鑑定を依頼した――全員が、虫食いなどない、と否定した――あげくのはて、スイスのコレクターであるパスカル・ニコ教授が所有していたヴァイオリンと交換した。このニコ教授が、若きヴァイオリニスト、コーリー・セロヴセクの才能に魅せられ、二〇〇四年に彼にミラノッロを貸与したのである。「[ミラノッロ]」は、彼のように才能あるアーティストにこそふさわしい、これは明らかだ、とわたしも私の家族も思った。完璧の象徴であるこのヴァイオリンをいつまでも手許に置いておくつもりだったが、彼に貸与することに少しも躊躇をおぼえなかった」

これからの数十年間、そして数世紀のあいだに、火の色をしたこのヴァイオリンはどのような奏者の手に抱かれるのだろうか? むろんのこと、だれもこの問いに答えることができないが、偉大なストラディヴァリウスは各世代において最高の演奏家を引きよせる、これはほぼ確実だ。ゆえに、ミラノッロは、その弦が鳴りひびくのを近くで、および遠くで聴く人々をこれからも魅了することだろう。

ジャン・ディヴォは自著のなかで、ミラノッロに語らせている。まるでこの楽器に理性がそなわっているかのように。「人間は歳をとるにしたがって生気を失い、疲弊し、弱まるが、ヴァイオリンも同じように歳月によって痛めつけられるのだろうか？　この問いに答えるのはむずかしい。いまのわたしは、アントニオ・ストラディヴァーリの工房を去ったときと比べて劣化しているのだろうか？　ほかの古いヴァイオリンについても同じことがいえるが、わたしに対する関心が時間とともに高まるところを見ると、わたしは否《いな》と答えたくなる」

知名度の高いストラディヴァリウスのいくつか

八〇年近くのユニークなキャリアをとおして、アントニオ・ストラディヴァーリは約一一〇〇点もの楽器（ヴァイオリンだけでなく、ヴィオール、ヴィオラ、チェロ、さらにはハープまでもがふくまれる）を制作し、そのうちの約五〇〇点がいまだに現役として使われている。現在でも演奏されているもっとも有名なヴァイオリンは以下のとおりである。

＊レディ・テナント＝ラフォン（一六九九年）…シカゴのストラディヴァリ・ソサエティが所有。

＊エングルマン（一七〇九年）…日本音楽財団が一九九六年に購入。

＊バロン・フォン・デア・ライエン（一七〇九年）…二〇一二年に匿名の人物が購入。

＊レディ・ブラント（一七二一年）…約一一〇〇万ドルで売却された、世界一高価なヴァイオリン。

＊クロイツァー（一七二七年）…一九九八年より名ヴァイオリニスト、マキシム・ヴェンゲーロフが所有。

＊ドルフィン…かつてヤッシャ・ハイフェッツが所有、現在は日本財団が所有。

＊メシア…かつて、パリの楽器商ヴィヨームが所有していた。

＊コハンスキー…ロシア皇帝ニコライ二世が、ロシア革命がはじまった暗黒の時代にポーランド人のヴァイオリン奏者、コハンスキーに託した…。フランスのヴァイオリニスト、ピエール・アモイヤルの愛器となったが、一九八七年に自動車のなかから盗まれた。四年後、波乱万丈の追跡劇のすえに、アモイヤルの手もとに戻った。

8

ルイ一六世とマリー・アントワネット、世紀の結婚

欧州における同盟関係組み換えの究極の結果として決まったのが、フランスの王太子ルイ――ルイ一五世の孫――とオーストリア皇女マリー・アントワネット［ドイツ語名はマリア・アントーニア］――女帝マリア・テレジアの娘――との縁組である。二人の結婚は、長年にわたって人々の記憶に一七七〇年のもっとも華々しい出来事としてきざまれた。もっとも華々しいかもしれないが、もっとも幸せな結婚といえるかは…

一七七〇年五月三〇日（水曜）の夕方、テュイルリー宮、セーヌ川、シャンゼリゼ通りの入り口、名建築家ガブリエルが設計した華麗なファサードに囲まれた、整備されてまもないルイ一五世広場［現在のコンコルド広場］をめざして、祭見学の人々がロワイヤル通りから群れをなして押しかけた。王太子の結婚を祝って、パリ市が夜、ここで花火を打ち上げることになっていたからだ。マリー・アントワネットやヴェルサイユ宮殿にかんする著作が多いピエール・ド・ノラク［一八五六―一九三六、フランスの歴史家、詩人］は、夕闇せまるなかで集まったこの群衆を次のように描写している。「群集は、聖マドレーヌ教会が建設中であった旧城壁沿いの大通りへと足を運ぶ傾向にあった。そこでは市が開かれていて、店舗がわりの仮小屋や、いつもより明るい通路の照明が人々を引きよせていたのだ。その後、群衆はルイ一五世広場へとおしよせた。ここでは楽団が演奏を披露し、水のかわりにワインが流れ出る給水器が設置され、巨大なハリボテの婚姻神殿をとり囲むようにルッジェーリ一家［イタリア出身の花火師一家、欧州各地で活躍していた］が打ち上げる花火が用意されていた」。世紀の結婚式を祝うためだ。

じつをいうと、ルイ一五世の孫ルイと、オーストリア女帝の娘アントワネットの縁談はあわやご破算になるところだった。一七六五年に夫を亡くして寡婦となっていたマリア・テレジアは、フランスと同盟関係を結ぶことを望んでいたことは確かだ。しかし、父親の死後に即位して母親と共同統治していた皇帝ヨーゼフ二世は、プロイセンとの結びつきを望んでいた…。フランス国内でも、この縁談には強い反対の声があり、その急先鋒は王太子の母、マリー＝ジョゼフ・ド・サックスその人だった。彼女は、自分の兄であるザクセン侯の娘アマーリアを推していた。マリー＝ジョゼフ・ド・サックスが一七六七年三月に死去したことで、障害がとりはらわれた…。四月になると、シュターレンベルク公［オーストリアの外交官、政府要人］は新任の駐ウィーン仏大使デュルフォール侯爵に「皇女アントーニアをどのように思われますかな？」と問いかけた。大使が「文句のつけどころがありません」と答えると、「王太子殿下にとって、チャーミングな配偶者となりましょう」と返された。大使は「心をそそる花嫁候補ですな。もしおっしゃるように話がまとまるなら、ふさわしい花婿を得ることになりますな」と応じた。しかし、話がまとまるまでにはさらに紆余曲折があり、交渉のさなかに花婿候補が変更になる可能性も生じた…。一七六八年にフランス王妃が亡くなると、鰥夫《やもめ》となったルイ一五世が孫息子に代わってオーストリア皇女を娶《めと》ればよいではないか、と言い出す者も現われた。だが、ルイ一五世本人は独身を謳歌したい気分で一杯だった。すでにデュ・バリー夫人という愛妾をえて、夢中となっていたからだ……

ゆえに一七六九年になって交渉がようやく決着した。宮廷人に必要な才能を磨くための教育を皇女にほどこし、お輿入れの支度一式を整えることになった。こうした準備にはまるまる一年がかかった！　そしてついに一七七〇年四月一五日、フランス大使デュルフォールは外交史上もっとも費用をかけたウィーン入市を果たした。六頭立ての馬車が四八台という壮観であり、そのうちの二台は、嫁ぎ先の国にあわせてアントワネットとよばれることになった皇女をフランスまで運ぶためのベルリン型箱馬車だった。家族のもとを離れることはアントワネットにとって辛いものだったが、旅は幸福を約束していると思われた。本書の著者はかつて、マリー・アントワネットとお付きの女官たちが旅のあいだに紙と紙をつなぎあわせて作った、長い旅程を描いた地図（個人蔵）を見せてもらったことがある。若い許婚者がどれほどわくわくして嫁ぎ先へと向かっていたのかを、言葉以上に雄弁に語り、見る者の心を動かす史料である。

マリア・テレジアからルイ一五世への手紙

娘に託したルイ一五世宛ての公式の手紙にくわえ、マリア・テレジアは母親の心配がぎこちなくも透けて見える短いメッセージをフランス語で書いた。「お兄さま、この手紙をお手もとに届けるのはわたしの娘です、いえ、むしろ陛下の娘というべきでしょう。最良の、そしてだれよりもやさしい父親（ママ）に託すのだと思うと、愛する子どもを手放す辛さが慰められます。陛下が娘をご指導ご鞭撻くださいますように。娘はいつわりなく努力する所存ですが、なにしろ年端がゆかぬものですから、愚かなふるまいがありましてもご寛恕《かんじょ》くださいますように。娘は、すべての行《おこな》いを通じて陛下の愛情に値する者になりたい、と心から願っております。両国と両家のあいだの幸せな絆の、もっとも感動的な証《あかし》である娘を、くれぐれもよろしくお願いいたします…」

五月三〇日のルイ一五世広場に戻ろう。花火が打ち上げられる時間が近づくころ、円柱がならぶ二つの巨大なバルコニーには、宮廷とパリ市のもっともきらびやかな貴顕《きけん》がつめかけていた。彼らはバルコニーから群衆を傲慢な目つきで見おろし、扇の陰で辛辣なコメントをかわしていた…。広場を埋めつくすパリ市民の数は多かった。彼らは国王、王太子、お輿入れしたばかり王太子妃を一目見たいと思っていた…。だが、ルイ一五世はムードン［パリの南西］のベルヴュにある娘たちの館にデュ・バリー夫人とともにとどまり、遠くから花火を楽しむことにした。若い王太子妃は、もっと遅い時間になってから義理の叔母たちとパリを訪れるつもりだった。焦《じ》らすことで、自分の人気がどれほどかを確かめるために。当時、彼女は大人気を博していた。たえずニコニコし、子どものように手をたたいていた。母国オーストリアと比べて目をみはるほどのぜいたく、華やかなフランスに彼女は少々めまいをおぼえていた…

ケール［ストラスブールの対岸にあるドイツの町］をへてフランスに入って以来、マリー・アントワネットは喜びと楽しさに酔いしれていた。国境で、シュターレンベルク公が女帝マリア・テレジアの代理として、ルイ一五世からつかわされたノアイユ伯にマリー・アントワネットを託した。ライン川に浮かぶ島の一つに設けられた木造の建物に招じ入れられた皇女は、着ていた服を脱がされ、頭のてっぺんから足先までよそおいを新たにした。建物の反対側からふたたび姿を現わしたときの彼女は、フランス王太子妃へと生まれ変わっていた！　ストラスブール市民の大歓迎を受けたのを皮切りに、その後の行程では立ち寄る先々で盛大な入市式が行なわれ、王太子妃の馬車は民衆の歓呼の声を浴びながら花がまきちらされた道を進んだ。こうした光景はソワソン、コンピエーニュまで続いた。五月一四日、コンピエーニュの森のきわに到着すると、そこには彼女の新しい家族が待っていた。ベルヌ橋の上でくりひろげられた一幕はこれまで何度も何度も語りつがれている。ルイ一五世の足もとに身をかがめたマリー・アントワネット。彼女をやさしく立たせて接吻し、愛情をこめて孫息子――少々ぎごちなさそうだった――と娘たちに紹介するルイ一五世…

国王の遊興を管轄している王室の部署が、目がまわるほど盛りだくさんで、主役にとっても負担が大きい祝祭行事を用意していた。サン＝ドゥニ大聖堂でのミサ、ラ・ミュエット城での宴会をへて、五月一六日に荘厳な結婚式をあげるためにヴェルサイユに到着した。シャルル・カンストレール［一八八七―一九七七、フランスの歴史家］は次のように描写している。「午後一時、王太子はマリー・アントワネットを迎えにやってきて、二人は礼拝堂へと向かった。王太子は金糸とダイヤモンドがきらめく礼服が板につかず、とまどっているようすだった。コンピエーニュや、ラ・ミュエット城のとき以上に、遠慮がちで、真剣で、ぎこちなかった」。この日の夜の食卓で、この嘆かわしい花婿は大いなる食欲をみせたので、ルイ一五世は注意した。初夜の義務を忘れていると思われる孫息子に、「今夜のことを考えて、胃袋を満たしすぎないようにしなさい」とささやいたのだ…。この日の夜に結婚がほんとうの意味で成就したのか、しなかったのかはともかくとして、王太子の成婚は一〇日間も続く絢爛豪華な祝祭の口実となった。その中心となったのは、これを機に建造されたオペラ劇場であった。その後に開催されるのが、庶民も与《あずか》ることができるゆえに、なによりも待ち望まれた祝祭行事であった。一七七〇年五月三〇日、パリ市民が楽しみにしていた、花火の打ち上げを目玉とする大イベントが幕を開けた…

ヴェルサイユのオペラ劇場

一七七〇年春の王太子とオーストリア皇女との結婚をことほぐ祝祭の象徴となった王室オペラ座は、ヴェルサイユ宮殿において王室が実現した最後の大建築の一つである。統治の末期はパラティーヌ礼拝堂の建立にかかりきりであったルイ一四世には、王宮の名にふさわしい劇場を整備する時間がなかった。そのため、何十年ものあいだ、演劇やオペラはヴェルサイユ宮殿やパリ市のあちらこちらで上演されていた…。ルイ一五世は、王太子の結婚という大イベントにまにあわせるため、アンジュ＝ジャック・ガブリエルにオペラ劇場を大至急、設計するよう命じた。これに応えて記録的な速さでガブリエルが構想したイタリア様式の広い劇場は、広い舞台空間を擁し、ありとあらゆる舞台転換の機械装置をそなえることになった。それだけでない、床のとりはずしを可能とする巧みな仕かけのおかげで、ほんの数時間で広い舞踏室に変身することもできる…。王室主席建築家であったガブリエルとその部下たちは、このむずかしい工事に挑戦してみごとに成功し、木製ながら（いや、木製ゆえに音響効果がすばらしい、といえよう）絢爛豪華な劇場を王太子の結婚までに完成させた。内部装飾には、最上の腕をもつ職人たちが動員された。少々窮屈《きゅうくつ》なのをがまんしてもらうことになるが、宮廷人全員を収容することができた。ただし、このオペラ劇場が実際に使われる回数は限定的となる。蝋燭による照明の費用がかかりすぎるためだ。費用といえば、建設費用は巨額となった…。ルイ一五世に、王太子成婚祝祭の感想をたずねられた財務総監テレーの答えは有名である。「支払い不能なほど高くつきました、陛下！」

ルイ一五世広場では、群衆が花火の打ち上げをじりじりしながら待っていた。全員の視線が、シャルトル公爵夫人にそそがれていた。夫人が最初の焔管《えんかん》に点火したのは九時であった。暗い空に打ち上げられた花火は音を立てて破裂し、夜の闇を焦がした…。歓声と歌声が上がった…。セーヌ川沿いでは、婚礼神殿と王太子夫妻の頭文字の組みあわせがネオンサインのように焔で浮かび上がった。祝砲が鳴りひびき、広場の輪郭にそって数えきれないほどのランプが点火された。そのとき、ロワイヤル通りが広場にまじわるあたりから、歓声とは異なる喧騒が聞こえてきた…。群衆の重みで、溝《みぞ》にかぶせられていた覆《おお》いが壊れ、足をとられる人が出た。この混乱に何台もの馬車が拍車をかけた。思うように進むことができずにいらいらした御者たちは、通行人を蹴ちらかしてむりやり直進した。またも人々は転倒し、あたりは渋滞し、押しあいへしあいとなった。殴りあいのけんかが起きたのは必然であった…。突然、パニックのなかで群衆の塊の一角がくずれた。何人もが塊となって押しつぶされ、息苦しいほどの雑踏のなか、助かろうとする人はわれ先にと、すでに地面に倒れた人をふみつけて窮地を脱しようと試みた。その結果、広場を封鎖したのち、なんと一三二人分もの遺体が回収された！

この惨事が起こったころ、王太子妃を乗せた宮廷の馬車は、セーヌ川沿いを通ってルイ一五世広場に近づいていた。無邪気なマリー・アントワネットは、自分が子どものころから夢見ていたパリの中心部をおしのびのかたちで訪れると思うとわくわくしていた。だが、彼女がはじめて目にしたパリ市民は目に涙を溜め、おそろしい知らせをとどけた。ノラクをふたたび引用しよう。「自分の名前が万歳の歓声とともに叫ばれるのを楽しみにしてやってきた若い王太子妃の耳に入ったのは、群衆の喉から出る恐怖の叫び声であり、この夜の惨事は彼女の脳裏に焼きついた」。王太子と王太子妃は犠牲者の家族に心からの哀悼の意を表したが、この血まみれの大事件は結婚したばかりの二人のイメージに早々に悪影響をあたえることになる…。四年後に王と王妃となるフランスの王太子とオーストリア皇女の成婚にとって、じつに幸先の悪い出来事だった。

9

ルイ一七世、心臓問題

大多数の専門家にとっては二〇年前に解明されたことであるが、タンプル塔に幽閉された気の毒な少年がどのような最期を迎えたのかについてはいまだに疑問点が残っている。フランク・フェランは、自身でもこれという確信をもてないままに、フランス史上もっとも大きな謎の解明の進展具合をふりかえる。

すでに二〇年がたった。一七九五年六月八日にタンプル塔の牢獄で死んだ少年の事件が、熱い論争の的となっている謎がならぶ陳列ケースから、解明ずみの謎を収納する戸棚へと移されてから、かれこれ二〇年がたったのだ。王党派がルイ一七世とよぶルイ・シャルル・ド・フランス――革命後に誕生して日の浅いフランス共和国にとっては、廃止された王政の最後の国王が残した面倒な遺児にすぎなかった——の運命にかんする謎を科学が一刀両断したのは、二〇〇〇年四月一九日、パリ六区にある医学史博物館で開かれた記者会見においてであった。この日、筆者の同業者であるフィリップ・ドロルムの求めに応じ、息をのんで耳を傾ける聴衆を前にして、ルーヴェン大学のカシマン教授が発言し、フラッシュがたかれるなか、「ルイ一七世の検死に参加した医師の一人がこっそりと盗んだ臓器」として自分に託された心臓を遺伝子検査したところ、これが「王妃マリー・アントワネットの親族」の心臓であることは疑いの余地がないとわかった、と述べた。ただし、遺伝子学者である同教授は、「この親族がほんとうにルイ一七世であるかどうかを証明するのは歴史研究者の仕事である」とつけくわえた。

フィリップ・ドロルムにとって、教授のこの用心深い付言は科学者の常套句にすぎない。自分が行なった綿密な調査は、この臓器がルイ一七世の遺体から取り出された心臓であることを証明している、これには疑いの余地はない、というのがドロルムの主張である。一七九五年六月一〇日、検死解剖の最中に、同僚たちの注意がそれたのをいいことに、外科医ペルタンは、タンプル塔に幽閉されて死亡したルイ一七世の心臓を自分のポケットにしのばせた。その日の夜、ペルタンはこの心臓をアルコールで満たされた瓶に入れ、自分の書斎でひっそりと保存していた。何年もたった王政復古期にペルタンは、自分の「貴重な窃盗品」のことをお上《かみ》に申し出た。甥であるルイ一七世のかわりに王位についたルイ一八世［ルイ一六世の弟］にとりいることを狙ったのであろう。だが、反応はなかった。詮方《せんかた》なく、失意のうちに年老いたペルタン医師は一八二八年五月にパリ大司教館に問題の心臓を預けた。一八三一年二月の大暴動で大司教館が暴徒に襲撃されたとき、ペルタン医師の庶子ガブリエルは、瓦礫のなかからこの心臓を回収した。その後、心臓は一八九五年までペルタン家に保存されていた。一八九五年、あるレジティミスト［オルレアン家ではなく、ブルボン本家の正統王朝を支持する者］の公証人が、ブルボン本家筋にこれを届けた。その結果、心臓は当初オーストリアで、次にローマで保管されたのち、サン゠ドゥニ記念館に寄贈された。一九七五年のことだった。やがてフィリップ・ドロルムが登場してサン゠ドゥニ記念館を説得し、この心臓を眠りから引き出し、一九九九年から二〇〇〇年にかけての冬に遺伝子鑑定が行なわれるように漕ぎつけた。前述の鑑定結果を受け、四年後に心臓は荘厳なミサをへてサン゠ドゥニ大聖堂に埋葬された。

こうして二一世紀の初め、熱心な調査が二〇〇年以上も続き、タンプル塔の少年にかんする本が八〇〇冊以上も出版されたのち、捜査は打ちきりとなった。一九世紀よりボシェーヌやシャントローズなどが著書で主張したように、ルイ一七世は不衛生きわまりない独房で死を迎えたのだ。そんなことは信じたくない、ルイ一六世とマリー・アントワネットの孤児は生きのびたのだ、と考えた者たちは、噂話を広め、神話を語り継いだにすぎなかったのだ。問題解決。しかしながら、遺伝子鑑定された心臓の由来にかんして疑問を呈した専門家が何人かいる。彼らの声に耳をふさいでよいのだろうか？　彼らがアプリオリにルイ一七世の生きのび説を支持していることは事実だとしても、一九世紀にパリの大司教館のオフィスには、ペルタン医師がルイ・シャルルの遺体から取り出したとされる心臓と、一七八九年の三部会の最中《さいちゅう》に死去したルイ・ジョゼフ（ルイ・シャルルの兄）の心臓の二つがあった、との指摘を無視してよいのだろうか。彼らに言わせると、この二つの心臓のあいだでとり違えがあった。カシマン教授が遺伝子鑑定したのは、ルイ・ジョゼフの心臓だったのではないか、との主張だ。

わたしは自分が司会する番組において何度か、マスコミからばかにされることが多い「生きのび」派に発言の機会を提供した。心臓の遺伝子鑑定から二〇年後のいまでもフィリップ・ドロルムに異を唱える彼らの言い分は、分《ぶ》が悪いものの、無下《むげ》に却下することはできない、とわたしは確信している。兄ルイ・ジョゼフの心臓は防腐処置をほどこされた、しかし二〇〇〇年に鑑定された心臓にはそうした処置の痕跡がない、との反論があるが、二〇〇年以上たつと臓器も変質するかもしれない、と考える病理解剖学者を見つけるのはむずかしいことではない…

それに…思いきって白状する。だれかが身がわりとなる別の少年とすり替え、ルイ・シャルルを牢獄からこっそりとつれだした、との説を断固として支持する人たちの話は魅力的で信じたくなる…。くわえて、一八四六年、一八九四年、一九〇四年などに行なわれたサント＝マルグリット墓地の共同墓穴の発掘で見つかったのは、ルイ・シャルルと認定するには大きすぎる少年の遺骨であった。当時、これを知った「生きのび」説支持者は意気軒高となった…。彼らの多くは、われこそはルイ一七世なり、と主張していた候補者たちのうちのだれかを支持していた。この点は正直に認めなければなるまい。

候補者はたくさんいた。無名の者たちが雨後の筍のごとく湧いて出て、ルイ一六世とマリー・アントワネットの遺児であると名のりを上げたのだ。フランス革命の傷がなかなかふさがらず、平穏とはほど遠かった一九世紀の最初の数十年間、われこそは…と声高に主張する者の数はなんと一〇〇を超えていた。その多くは、一八〇〇年に出版されたルニョー＝ヴァランの小説『マドレーヌ墓地』［ルイ一七世が獄中で身がわりと置き換えられて王党派軍に保護され、その後にアメリカに渡ろうとしたが船が拿捕されたために牢獄に戻され、天然痘で亡くなる、という筋書き］からヒントを得た幼稚な身の上話を語っていた。生存中にもっとも有名となった詐称者がリシュモン男爵であることにまちがいはない。だが、男爵は子孫を残さなかったために、支持者の数が先細りとなるのは致し方なかった。その一方、男爵の最大のライバルは、子孫を残したために支持者が絶えることをまぬがれた。この果報者こそが、プロイセンからフランスに移住し、一八四五年にデルフトで亡くなったカール＝ヴィルヘルム・ナウンドルフである。彼の子孫はド・ブルボンという苗字を名のる権利を獲得した（一九一三年、パリ控訴院の判決により、この権利はあらためて認定された）。一九九八年、カシマン教授――また同じ名前が出てきた――は、ナウンドルフの墓から取り出した上腕骨のＤＮＡと、マリー・アントワネットの母親マリア・テレジアの母系子孫であるルーマニア王妃アナと弟のアンドレ・ド・ブルボン＝パルムのＤＮＡを比較した。その結果、血縁関係はいっさいないことが明らかになった。教授によると、ナウンドルフがルイ一七世であった可能性はゼロである。

二〇一四年、テレビ番組「ロンブル・ダン・ドゥート（疑惑の影）」のための取材で、わたしはナウンドルフの子孫のもっとも若い世代に属する一人、ユーグ・ド・ブルボン（先に述べたように、ド・ブルボンは詐称ではない）にインタビューした。彼は、ナウンドルフ＝ルイ一七世説支持者たちとは異なり、謙虚で誠実であった。自身と一族にとっての一大関心事について歴史研究者たちが明白で決定的な見解を発表してくれることを今かいまかと待っている、と述べていた。このインタビューが撮影されたころ、ある高名な遺伝子学者が新たなＤＮＡ検査により二〇〇〇年の鑑定結果とは異なる結論が出る可能性をユーグ・ド・ブルボンにちらつかせ、気をもたせていたのだ。ユーグ自身は、昔から続いている論争に早く決着をつけてもらいたい、と願っていた。

ナウンドルフ＝ルイ一七世説はしりぞけるとしても、信憑性が皆無とはいえない候補者は数多く残っている。ここでは、経歴からいってもっとも説得力があると思われる人物のみを紹介することにする。二〇一三年、わたしが司会するラジオ番組「歴史に斬りこむ」にゲスト出演してくれたジャック・ソペルサは職業外交官である。アルゼンチン赴任中、彼はピエール・ブノワというフランス人の子孫と交流する機会を得た。ピエール・ブノワ自身は自分がルイ一七世だと主張したことは一度もなかったが、その経歴には非常に興味深い点がいくつかある。ルイ一六世とマリー・アントワネットのことが頭から離れなかったようだったうえ、フランスから出国するときは、ル・アーヴル港までドゥカズ公爵［王党派政治家］その人につきそわれ、南米に着くと上流階級に歓迎された、そしてマダム・ロワイヤル［ルイ一七世の姉」死去の報に接すると衝撃を受け、翌年にラヴェルニュ医師という人物に殺された。ラヴェルニュはマダム・ロワイヤルを脅迫していたことで知られている…。フランスから南米に移住したピエール・ブノワは、タンプル塔の孤児であったのだろうか？　ジャック・ソペルサはそのように確信している。

そのほかにも、排除されまいと頑張っている説はいくつもある…。何人かは、ルイ一七世は牢獄からこっそりとつれだされたのだが、精神的にぼろぼろの状態であったので自分から名のり出ることを望まずに無名のまま亡くなった、と主張している（二つの世界大戦にはさまれた時期に、レオン・クレセルがすでに同じ説を唱えている）。多くは、フィリップ・ドロルムや専門家の大多数にならって、ルイ一七世はタンプル塔で亡くなったことを認めながらも、死去したのは通常採用されている死亡日（一七九五年六月八日）よりもずっと前である、とみなしている。ジュリエット・パキュルは、この問題を扱ったエッセーの原稿をわたしに送ってくれた。出版されてしかるべき考察である！　諸説を吟味したパキュルは、ルイ・アスティエが二〇世紀中ごろに発表し、ジョルジュ・ボルドノーヴが一九九五年に再評価した説を支持している。アスティエ、ボルトノーヴ、そしてパキュルによると、一七九四年一月に養育係をつとめていたシモン夫妻がタンプル塔から去ったのは、ルイ一七世が死亡したからである。これを裏づけるさまざまな状況証拠の一つが、この時点からタンプル塔の洗濯女はルイ・シャルルの汚れた衣服を一枚も受けとることがなかった、という事実である。なお、この事実はこれまでも、すり替え説支持者たちによってたびたび引用されている…

ジュリエット・パキュルの言葉を引用してこの章を閉じたい（ただし、テーマがテーマなだけに、これが最終的な結論というわけではない）。「正しい解とされるものが大多数の人々から認められ、おすみつきをもらっているので、ルイ一七世が一七九四年一月に死んだという説は受け入れられない、もしくはあまり支持されないだろう。この謎は解明されたというのが公式の見解であるので、調査が再開されることはないだろう」とパキュルは冷静に認めている。そして、ルイ一七世の遺体が石灰をまかれたうえで埋められたとされるルイ一七世の墓について次のように付言する。「わたしが支持する説が正しいとしたら、なんと無残なことだろう。ルイ一七世の遺体はなにひとつ地上に残すことなく、パリ第三区のペレ通りのアスファルトの下に埋もれていることになるからだ」

短く悲劇的な一生

一七八五年三月二七日に生まれたルイ・シャルル・ド・フランスは、兄が一七八九年六月四日に幼くして亡くなった時点で王太子となった。フランス革命の嵐にまきこまれ――ヴェルサイユ宮殿から家族とともにパリのテュイルリー宮につれてこられ、次にタンプル塔に両親と姉と叔母とともに閉じこめられた――、父親が処刑された一七九三年一月二一日を境に、王党派にとって「神の恩寵によりフランスとナヴァールの王であるルイ一七世陛下」となった。このことが、この少年をどうしたものか、という国民公会［革命期の一七九二年九月二〇日から一七九五年一〇月二六日まで存在した立法府］の審議と公安委員会［革命期における統治機構］での論議にいわば毒を流しこんだ。まさか、幼い子をギロチンにかけるわけにはゆかない！　一七九三年七月一日、「カペーの息子であるルイ少年を母親から引き離し、タンプル塔のもっとも守りの固い居住区画に移す」、と決定された。こうして、非情にもルイ・シャルルは家族から引き離された。物質的にはそこそこの扱いを受けたが…。パリのコミューン「パリ革命自治政府」の一員であった靴職人アントワーヌ・シモンとその妻が養育係となる。この夫婦は、「王家の息子を民主化」して善き共和主義者に仕立て上げるとの名目で、少年をあやつり、汚い言葉を教え、アルコールを飲ませ、マリー・アントワネットの裁判の調書に性的虐待を母親から受けたとの証言を記すように強制した——おぞましいことだ！　ルイ・シャルルは母親が処刑されたことをしばらくは知らず、毎日、散歩を終えると母親が暮らしていた建物の前に花を置いた…。一七九四年の初め、彼の生涯にかんする公式記録のもっとも暗い章がはじまる。塔の物置のようなむさ苦しい一室にたった一人で閉じこめられ、なんとか生きのびようとする日々を送った。暗く汚《きたな》らしい独房であり、唯一うっすらと光が差しこむ扉の小窓越しに食事が差し入れられた。気づかう言葉がかけられることすらいっさいなかった…。たった九歳の子どもが、孤独と究極の不安のなかで生きたのだ！　フランソワーズ・シャンデルナゴール著『ラ・シャンブル』は、抑制的ながら読者の胸を引き裂く筆致で、この少年がなめた苦しみを描写している。こうした境遇が少しはましになるのは、テルミドールのクーデターでロベスピエールが逮捕、処刑されるまで待たなければならなかった。クーデター首謀者の一人、バラスがようすを見に来て、マルティニークのクレオールであったローランという男に、ルイ・シャルルの待遇を改善し、体を洗い、包帯を巻き、独房を換気するよう命じた。だが遅すぎた。一七九五年の春、少年の健康状態は急激に悪化した。結核が衰弱しきった体を餌食とし、腹膜に達した…。そして一七九五年六月八日に命を奪った。わず一か一〇年と二か月の生涯であった。

10

ブリュメール一八日のクーデター

共和暦八年ブリュメール一八日（一七九九年一一月九日）、総裁政府体制がゆらいだ。血気にはやるボナパルト将軍が、悪評ふんぷんで、内側から腐っていたこの体制にクーデターを仕かけた。彼が標榜していたその目的とは？　共和制の原理原則に立ち返ることだった。だが、彼の衣の下には鎧《よろい》が隠れていた…

まずは、順調に事が進んだブリュメール一八日の話から。この日の朝、夜の間におりた霜でパリの公園も真っ白になった。この秋、はじめてのことだった。ヴィクトワール通り［もともとはシャントレーヌ通りであったが、ボナパルトのイタリア戦役での勝利をたたえてヴィクトワール（勝利）通りと改称され、王政復古でふたたびシャントレーヌ通りとなり、その後にふたたびヴィクトワール通りとなって現在にいたる」――のサン＝ラザール通り寄りにあった自宅で、ボナパルト将軍は朝早くに起床した。一か月もたたぬ前にエジプトから戻った彼は、総裁政府は道をふみはずしているとみなし、弟のリュシアンと政権転覆の計画を練っていた。共和暦三年の憲法にもとづき、総裁は五人いた。もっとも知名度が高い二人、すなわち元聖職者のシエイエス（ボナパルトにそこそこに好意的）と煮ても焼いてもくえぬバラスにくわえ、ジャコバン派のゴイエ、ヴァンデ地方で王党派軍制圧を指揮したムーラン、そして、元国民公会議員でシエイエスと親しい南仏人ロジェ＝デュコである。

この五人が体現していた体制は息もたえだえだった。財政をはじめとして、あらゆる方面で大混乱に翻弄され、なすすべもなく追いつめられ、権威も信用もなくし、国民からは「国の汚物」とよばれていた…。総裁政府体制の足許《あしもと》はぐらつき、国内および国外の反革命はこれを打倒すべく虎視眈々と機会をうかがっていた！　断わっておくが、ボナパルト兄弟も、シエイエスも、こうした反革命派に属していなかった。ここでピエール・ガゾットを引用して、一部にある誤解を正すのは有益であろう。「一蹴《いっしゅう》すべき考えが一つあるとしたら、それは、ブリュメール一八日のクーデターはその原則からいって〝反動的な政府転覆劇〟であった、というものである。事実は正反対であった。自分の利益など少しも考えず、共和制の理念をだれよりも信じていた、もっとも真摯な共和派による、フランスが王政に戻るのを防止しようとする至高の努力であった」

すべてがほんとうの意味ではじまったのは二週間前、リュクサンブール宮のシエイエスの執務室においてであった。政界を巧みに泳ぎまわってきたシエイエスはボナパルトに、憲法には、上院（元老院）には、必要に応じ、議会（立法府）の議場をパリの外に移す権限がある、と定めた条項がある、と指摘した。これを知ったボナパルトは、とるべき戦略の選択肢は一つしかない、と理解した。一、民衆からの圧力を避けるため、上院と下院の議場をサン＝クルー城に移す。二、同時に、シエイエスとロジェ＝デュコの辞任をとりつけ、汚職まみれのバラスの辞任を金で買い、次に必要であればゴイエとその仲間であるムーランをおどすことで、総裁政府を解体する。三、以上のように行政府の頂点を切りくずしたのち、下院（五百人会）に圧力をかけ、ボナパルトの指揮下で新たな執行府を組織するようにもってゆく。新たな政府としては、三人の執政による三頭体制も悪くない。計画に加担しているシエイエスは当然ながら執政の一人となる…

ヴィクトワール通りの住まいで、ナポレオンとリュシアンのボナパルト兄弟は、この計画を実行に移すために気を張りつめて準備にいそしんでいた。大きな影響力をもつ三人の人物――タレーラン、フーシェ、カンバセレス――が黒子《くろこ》として、障害をとりのぞこうと陰で奔走していた。明け方前の五時、官員たちがパリのあちらこちらをかけめぐって上院議員（元老）たちをたたき起こし、元老院臨時審議のためにテュイルリー宮に来るよう、招集をかけた。無気力なうえに、総統政府体制とその無秩序に嫌気をさしていた元老たちは、自分たちの上院もふくめて両院の議場をサン＝クルー城に移すことを提案されるとすぐに応じることにした。両院の「安全確保」をボナパルトに託すことにも、いっさい抵抗しなかった…

両院の守護天使、という新たな使命があたえられたことを告げるために派遣された執達吏がボナパルト邸に着くころ、ヴィクトワール通りはすでにあらゆる階級の軍人であふれかえっていた。地味な服装で自邸のバルコニーに姿をみせたボナパルトは、軍人たちに「共和国は危険にさらされている、われわれが共和国を救うのだ！」とよびかけた。そして、ミュラ、ランヌ、ベルティエなど、もっとも優秀な部下たちに囲まれて馬に飛びのってテュイルリー宮へと向かった。颯爽、堂々とした一行が通るのを自邸の窓越しに見た金融業者のウヴラールは、風向きが変わったことを感じとり、クーデター資金を提供することにした。

テュイルリー宮に着いたボナパルトが宣誓したのち、四人の総統が三々五々、姿を現わしたが、バラスは秘書を送りこんでようすをうかがわせることにした。ボナパルトは群衆のなかにこの秘書の姿を認めると、腕をつかんで擲弾兵《てきだんへい》たちの前にひきずり出し、激しく叱責した。「わたしがあれほど輝かしいフランスをあなた方に託したというのに、あなた方はいったい何をしでかしたのだ？　わたしは平和をもたらしたのに、あなた方のせいでまた戦争がはじまろうとしているではないか！　わたしは勝利をもたらしたのに、フランスはふたたび敗北にみまわれているではないか！　わたしがイタリアから莫大な富をもたらしたというのに、いまやいたるところに横領と貧困がはびこっている！」。こうして国を害する政治家として名ざしされたバラスは自分の運命を悟り、ウヴラールが提供した賄賂を受けとると、さっさとグロボワに隠棲することにした。

シエイエスとロジェ＝デュコは、ゴイエとムーランに、自分たちはすでに辞表を提出した、と伝えた。怒りで身を震わせたゴイエが「憲法を無視するのか？　われわれの宣誓は反故《ほご》とされるのか？　そもそも、ボナパルト将軍は今夜、わたしと食事する予定だ…」と述べたところに、当のボナパルトが割って入り、「今日、わたしは夕食をとらない」と告げた。なおも抵抗するゴイエとムーランは、リュクサンブール宮に戻るよう、有無をいわさぬ調子で要請され、軟禁の身となった。こうして、サーベルが鞘から抜かれることもなく、ブリュメール一八日は予定どおりに終わり、この日付けは歴史の本に一続きの固有名詞として記録されることになる。

　翌日、すなわちブリュメール一九日はそうはゆかず、むずかしい一日となる。困難で危険な一日であった。思惑《おもわく》どおりに事が運ばなかったとしたら、クーデターをたくらんだ者たちを待っているのは銃殺だからだ！　ブーツを履き、小さな帽子をかぶり、簡素な軍服を着て、頭だけは白い鉄灰色の馬に乗ったボナパルト将軍は、前日に召集された議員たちと合流すべくサン＝クルー城へと向かった。到着すると、出鼻をくじかれた。議場となるはずの大広間（元老院用）と温室《オランジュリ》（五百人会用）の用意がまだ整っていなかったのだ。両院の議員たちは、画家ダヴィッドがデザインした奇妙奇天烈《きみょうきてれつ》なユニフォーム――ローマ時代のトガを模していた――姿でぶらぶらと歩きまわっていた。ジャコバン派のなかでももっとも急進的な議員たちはすでに、ボナパルトは独裁を志向していると憤っていて、ボナパルトを指差して「ほらカエサルだ！　クロムウェルのお出ましだ！」と遠慮会釈なく声をあげた。ボナパルトは聞こえないふりをした…。午後の一時ごろになってようやく、元老たちは議場に入ることができた。五百人会の議員たちは三時まで待たされることになる！

ブリュメール（霜月）――一一月に相当する――であったから、日がくれるのは早かった…

当然ながら、五百人会の議員たちは元老たちとは異なり、簡単に手なずけることができる相手ではなかった。彼らはフランスの政治体制が共和政から逸脱して独裁に向かうことを断固阻止するつもりだった。ゆえに、リュシアンの役割がきわめて重要だった。ナポレオンの弟である――厳しい見方をする者にとっては、ナポレオンの共犯者――リュシアンは、五百人会の議長であったからだ！　リュシアンは時間を稼ぐため、いくつもあった案のなかから大あわてで一つを選び、総統政府体制の憲法に忠誠を誓うよう、議員たちを説得することに成功した。たいして意味のない手続きだし、議員たちが一人一人宣誓するとしたらすくなくとも数時間はかかるので時間稼ぎにはもってこいだ。

同じころ、兄のナポレオンは元老たちに語りかけ、彼らの虚栄心をくすぐろうとしていた。ところが、古参の政治家である彼らは思いのほか手ごわく、バラスやムーランに対する批判の詳細を説明するよう、ボナパルト将軍に求めた。彼らはナポレオンを激しく攻撃して追いつめ、大向こう受けを狙った彼の言動をあざわらった。その結果、ナポレオンはまごつき、当惑し、明瞭な言葉も出なくなった……。彼の忠実な秘書であったブリエンヌは後日、若き将軍の驚愕と狼狽がいかなるものであっかについて、次のように記している。「彼は口ごもり、話の内容は筋道だっていなかった。ナポレオンは弁才を欠いていたので、信じられぬほど支離滅裂なことしか言えなかった。演壇における論議よりも、戦場のどよめきに慣れ親しんでいたためだろう」

自分に敵対的な声がしだいに高まって大騒ぎになるなか、万策つきたボナパルトはついに、擲弾兵を議場によびこんだ。そして元老たちに「わたしが戦争の神と運命の神にともなわれて行軍していることを、諸君は忘れてはならない」と警告した。これは、エジプト遠征のさいにカイロのディーワーン［地元の名士を集めた評議会］で述べた言葉と一言一句違わなかった。カイロの名士たちはこの言葉にひれ伏したが、今回はそうはならなかった！　心配をつのらせたブリエンヌはついにナポレオンの耳に「将軍、こちらにいらしてください。将軍はもはや、ご自身でなにをおっしゃっているのかもわかっておりません！」とささやいた。独裁者になりそこねた将軍がみじめに退場すると、元老たちはすぐさまナポレオンを「法の外に置く」ことを決定した。五年半前に、ロベスピエールを法の外に置いたように（テルミドール九日）……

残念なことに、五百人会は元老院以上にナポレオンに反発し、手がつけられなくなった。最終的に大騒ぎの議場からつれだされたボナパルトは馬に飛びのったが、その姿は威風堂々とはほど遠く、苛々したようすであり、鉄灰色の馬の上でバランスをとるのもやっとだった。アンドレ・カストゥロは次のように記している。「興奮冷めやらぬ彼は、両頬のニキビを引っ掻いた。ニキビから出血したのをさいわい、五百人会は自分を殺そうとした、と訴えることができた。兵士たちはルビコンを渡る決意を固めたようだった。しかし、行政府の擲弾兵たちは迷っていた。夕方の五時となり、太陽は沈みかけ、一一月の冷たい靄が庭園をつつみ、空はますます雲でおおわれた。夜になる前に決着を着けねばならない」。リュシアンが走り書きしたメッセージにより、一〇分以内に審議を中断させねばならない、さもないとすべてが水泡に帰す、と知らされただけに待ってはいられない。

そこで、説得ではうまくゆかなかったたくらみを、銃剣がなしとげることになった…。いまや熱に浮かされたかのようなボナパルト将軍は「力ずくでやつらを追いはらえ！　やつらは盗賊であり、もはや国民の代表ではなく、短刀の代表だ！」と叫び、兵士たちを議場に送りこんだ。なるほど…。兵士たちが「イタリア戦役のヒーロー」によせる絶大な支持がなければ、状況をひっくり返すことはむずかしかっただろう。いまや夜となっていた。オランジュリの窓から逃げ出した五百人会の議員たちは、立ちこめはじめた霧のなか、サン＝クルー城の芝生を駆けぬけた。走るのに邪魔な、ダヴィドがデザインしたトガと刺繍入りマントを脱ぎすてて。

数十人の議員は捕まってつれもどされた。採決のパロディを演じさせ、以下の法令を承認するのに必要だからだ。「立法府は、暫定的措置として、市民シエイエス、市民ロジェ＝デュコ（以上、元総裁）、ボナパルト将軍で構成される委員会を創設する。この三人は、共和国執政官とよばれる」。体制は変わったが、名目上は共和政が維持された。ブリュメール一八日によって共和政は強化された、と主張する者もいた…。これで革命が終わり、だれの掣肘《せいちゅう》も受けないナポレオンの権力が認められた、というのが正しい。だが、ナポレオンにとってこれは辛勝であった。

歴史に残る言葉をなんなくくりだす才能で知られているシエイエスは、リュクサンブール宮に戻ると「おのおの方、われわれにはいまや、指導者が一人おりますぞ」

と言った。だが、この「指導者」は、弁舌で指導者ぶりを発揮することにみごとに失敗し、本人もこれを自覚していた。サン＝クルー城からヴィクトワール通りに戻る馬車のなかで、彼はひとことも口をきかなかった。家に戻り、妻のジョゼフィーヌを抱きしめたあと、彼はブリエンヌにコートを手渡しながらぶっきらぼうな口調で「わたしは無様《ぶざま》なまねをしたかな？」とたずねた。「悪くはありませんでした、将軍…」とブリエンヌは答えた。ボナパルトは腹立たしげに「あいつらに気圧《けお》されてしまった。わたしには議会の経験がないからな」つぶやいた。その後、しばらく沈黙してからこういった。「そのうち、わたしも慣れるだろう」

―スタンダール、ナポレオンを語らせたら右に出る者がいない作家スタンダールの『ナポレオン伝』はいまだに、ナポレオンを理解し、あの時代を知るうえで最良の史料の一つである。このことは、以下の抜粋を読むだけでわかる。

ボナパルト将軍が祖国救済のためにエジプトから駆けつけたとき、裏で立ちまわるのが得意な総裁バラスは、亡命していた王家にフランスを一二〇〇万で売り渡す工作に励んでいた。このための免許状がすでに送付されていた。バラスはこの計画を二年前から進めていた。シエイエスは、駐ベルリン大使であったときにこのことを知った（…）ナポレオンはパリで弟のリュシアンと再会した。二人は以下の可能性について話しあった。ブルボン家もしくはナポレオンのどちらかが玉座につくことは明白だ。さもなくば、共和制を再建するかだ。ブルボン王家復興という計画は愚かしい（…）共和制を再建するということは、ほかの手助けを必要とせずみずからを支えることができる憲法を共和政にあたえねばならないことを意味するが、ナポレオンは、この問題を解決する手段を自分がもちあわせているとは感じなかった。彼は、使えそうな人間は全員、軽蔑しか値しない輩《やから》であり、個人的利益を国益に優先している、と思った。また、よく考えてみると彼自身の地位も安泰ではなかった。ブルボン家もしくはイギリスにフランスを売ろうとする裏切り者がまだ一人でも残っていたら、連中が最初に実行するのは自分を殺すことだろう。こうした疑念をいだくナポレオンのなかで、自然なことであるが、野心がほかのすべての思いに打ち勝った。自分のふるまいが信義にそむくかどうかを自問したナポレオンは、「わたしのほうが、ブルボン家よりもフランスにとって価値がある」と自分に言い聞かせた。

無限の自由を享受する永遠の権利をあらゆる人間にあたえることは状況によっては可能だとしても、ボナパルト将軍は一人一人のフランス人に次のように語ることができた。「わたしゆえに、君はまだフランス人である。わたしゆえに、君はプロイセンの判事やピエモンテの総督の支配下にない。わたしゆえに、君は、恐怖をあたえられたことを恨んで仕返しせんとする主人の奴隷ではない。ゆえに、わたしが君の皇帝となることを受け入れたまえ」

以上が、ブリュメール一八日の前日、ボナパルト将軍と弟の頭を占めていたおもな考えである。あとは、実行の手段を探るだけであった。

◆著者略歴◆

フランク・フェラン（Franck Ferrand）

歴史を専門とする著述家。数多くのベストセラーの著者。おもな著書に、『禁じられた歴史——フランス史秘話』（Tallandier, 2008）、『フランソワ1世、支離滅裂な国王』（Flammarion, 2014）などがある。また、15年間にわたってラジオ局ウロップ・アンの名物番組「歴史に斬りこむ」を担当したのち、現在はラジオ・クラシック局の「フランク・フェランが語る」で歴史にかんする蘊蓄をかたむけ、評判をとっている。

◆訳者略歴◆

神田順子（かんだ・じゅんこ）…序文、5-10章担当

フランス語通訳・翻訳家。上智大学外国語学部フランス語学科卒業。共訳に、ビュイッソンほか『王妃たちの最期の日々』、ゲズ編『独裁者が変えた世界史』、バタジオン編『「悪」が変えた世界史』、ドゥコー『傑物が変えた世界史』、フランクバルム『酔っぱらいが変えた世界史』、ルドー『世界史を変えた独裁者たちの食卓』（以上、原書房）、監訳に、プティフィス編『世界史を変えた40の謎』（原書房）、ピエール＝アントワーヌ・ドネ『世界を喰らう龍 中国の野望』（春秋社）などがある。

田辺希久子（たなべ・きくこ）…2－4章担当

青山学院大学大学院国際政治経済研究科修了。翻訳家。最近の訳書に、グッドマン『真のダイバーシティをめざして』（上智大学出版）、共訳書に、ビュイッソン『暗殺が変えた世界史』、ゲズ編『独裁者が変えた世界史』、ソルノン『ロイヤルカップルが変えた世界史』、フランクバルム『酔っぱらいが変えた世界史』、ルドー『世界史を変えた独裁者たちの食卓』（以上、原書房）、コルナバス『地政学世界地図』（東京書籍）などがある。

濱田英作（はまだ・えいさく）…1章担当

国士舘大学21世紀アジア学部教授。早稲田大学大学院文学研究科東洋史専攻博士課程単位取得。著書に、『中国漢代人物伝』（成文堂）、訳書に、甘粛人民出版社編『シルクロードの伝説——説話で辿る二千年の旅』（サイマル出版会）、チャンバース『シク教』（岩崎書店）、共訳書に、ビュイッソン『暗殺が変えた世界史』、プティフィス編『世界史を変えた40の謎』（以上、原書房）などがある。

運命《うんめい》が変《か》えた世界史《せかいし》
上
アレクサンドロス大王《だいおう》からナポレオンまで

●

2022年12月25日　第1刷

著者………フランク・フェラン
訳者………神田順子《かんだじゅんこ》
田辺希久子《たなべきくこ》
濱田英作《はまだえいさく》
装幀………川島進デザイン室
本文・カバー印刷………株式会社ディグ
製本………小泉製本株式会社
発行者………成瀬雅人

発行所………株式会社原書房
〒160-0022　東京都新宿区新宿1-25-13
電話・代表　03(3354)0685
http://www.harashobo.co.jp
振替・00150-6-151594
ISBN978-4-562-07244-6